Tophits

Bies van Ede

Tophits

Van Goor/Unieboek BV

Voor Ed, Karel, Paul, Rick, Gon en Hadjidja,
de 'mannen' van de VL-VE band

Eerste druk 2004
Derde druk 2005

ISBN 90 00 03577 5
NUR 283

© 2004 Bies van Ede
© 2005 Uitgeverij Van Goor
Unieboek BV, postbus 97, 3990 DB Houten
omslagillustratie Kees de Boer
omslagtypografie Marieke Oele
foto auteur Susan Swaan
www.van-goor.nl
www.unieboek.nl

1

Het grijze gebouw

'Jay! De ketting is van de deur!'

'Hmm?' Jay keek op van zijn stripblad. Zijn zusje stond opgewonden voor hem.

'Het is echt waar, ik heb het net gezien. De ketting is weg en er brandde licht achter de ramen!'

Jay gooide zijn blaadje opzij en stond op.

'Echt!' drong zijn zusje aan. 'Kom op. Misschien kunnen we naar binnen!'

Het was mooi weer, jas aan hoefde niet, ze holden achter elkaar aan de straat uit, naar het grijze gebouw.

Het gebouw stond er al heel lang, veel langer dan de huizen eromheen. Er waren vroeger fabrieken, bedrijven en loodsen geweest waar nu de woonwijk lag. Het grijze gebouw stamde uit die tijd.

Je kon nu nergens meer aan zien dat dit vroeger een industrieterrein was geweest. Ook aan het grijze gebouw niet. Het had een garage kunnen zijn, of het kantoor van de wijkpolitie. Jay en Lana wisten het alleen omdat hun vader het hun verteld had.

'Toen ik klein was, was dit verboden gebied,' had hij

ooit gezegd. 'We kwamen hier natuurlijk juist omdat het niet mocht. Er stonden ook nog wat woonhuizen en pensions, een soort eenvoudige hotelletjes. Daar woonden opzichters en zo. Allemaal verboden voor kinderen. Daarom vind ik het zo leuk dat we hier nu wonen. Het maakt het spannend.'

Jay en Lana wisten een hoop over hun buurt dankzij hun vader. Er had een kanaal gelopen waar nogal wat ongelukken waren gebeurd. En een eeuw of vier geleden werden op dit stuk land dieven en moordenaars opgehangen en begraven.

Aan de straatnamen kon je dat nog zien. Er was een Dievenpad, een Galgenveld, een plantsoen dat Dodenakker heette en de Moordenaarssteeg.

Jay had er nooit lang bij stilgestaan, maar de laatste paar maanden begon hij het steeds spannender te vinden om te fantaseren over wat er vroeger in de buurt was gebeurd. Terechtstellingen, moordenaars die tierend en vloekend aan de galg werden gehangen, die God vervloekten en de duivel om hulp smeekten…

In welke nieuwbouwwijk vond je zo veel geschiedenis? Jammer genoeg waren er nergens meer aandenkens aan de echte Dodenakker, de Moordenaarssteeg of dat gevaarlijke kanaal. Alles had ooit plaatsgemaakt voor het industrieterrein.

En zo was het grijze gebouw de laatste herinnering aan dat industrieterrein. Alle andere fabrieksgebouwen en opslagloodsen waren afgebroken. Waarom stond alleen dat ene gebouw er nog? En waarom die ketting? Jay en Lana vonden het allemaal reuze spannend.

Het gebouw stond aan het eind van een steeg. Je moest weten waar het was, anders vond je het niet. Jay en Lana waren er op een middag per ongeluk gekomen. Lana had Jay achternagezeten, Jay was een hoek omgeslagen en ontdekte dat hij niet verder kon.

Samen waren ze een poosje voor het grijze gebouw blijven staan. Niet zozeer omdat het zo bijzonder was, maar meer uit nieuwsgierigheid. Het had grijze betonnen muren, een plat dak en twee ramen, vlak onder de goten, die te hoog waren om erdoorheen te kijken en te smerig ook. De deur was van ijzer, afgesloten met een dikke ketting en een stevig hangslot.

Ze hadden eraan gerammeld. Lana was op Jays schouders gaan staan en had geprobeerd naar binnen te gluren.

Maar het gebouw was zo afgesloten als een bankkluis vol goud, zo dicht als een oester met een enorme parel, verboden als de flessen drank in de kast van je ouders. Het gebouw smeekte erom zijn geheimen te kunnen vertellen, maar het moest zijn mond dichthouden.

Nu konden ze het met een beetje geluk eindelijk vanbinnen bekijken.

Hijgend stonden ze even later bij de ijzeren voordeur. Achter de ramen brandde geen licht, de ketting en het hangslot sloten net als altijd de ijzeren deur af.

Maar Jay zag dat Lana niet gelogen had: de ketting was

anders gewikkeld en het slot hing omgekeerd. De deur was open geweest.

Ze waren jammer genoeg te laat. Wie er ook binnen was geweest, hij was alweer weg.

Teleurgesteld keken Jay en Lana elkaar aan en zwijgend sjokten ze naar huis.

'Wat is er met jullie?' vroeg hun vader toen ze binnenkwamen. 'Op je donder gekregen van de wijkagent?'

Wie ze ook verwacht hadden, in elk geval niet hun vader. Die was voor zijn werk op reis en werd nog lang niet thuis verwacht. Hij was in een of ander archief in het buitenland op zoek naar oude volksverhalen, en dat soort speurtochten kon lang duren. Het was een baantje waar Jay en Lana niet veel van begrepen. Het ivvm, het Instituut voor Volksverhalen en Muziek, stuurde hun vader naar alle hoeken van de wereld om oude verhalen te zoeken. Er werden nieuwe verhalen zat geschreven, dus wat moest je met oude?

Ze keken hun vader even aan alsof hij een geest was. 'Papa!' schreeuwden ze toen tegelijk, terwijl ze op hem af stormden voor een omhelzing en een stevig robbertje stoeien.

Hun vader kreeg pas na tien minuten gegrom, gegiechel en gehijg de kans om weer iets anders te zeggen dan: 'Pas op mijn vingers! Ik heb zere vingers.'

'Snappen jullie nou waarom ik zo vaak weg ben? Jullie zouden me slopen als ik elke dag thuis was,' zei hij met zijn schorre kraaienstem die heerlijk vertrouwd klonk.

'Dat is niet eerlijk, pap!' zei Jay.

'Nee, dat is niet eerlijk,' zei hun vader terwijl hij opstond. 'Mij met z'n tweeën aanvallen, dát is eerlijk. Met mijn zere vingers.'

'Je hebt ook zere vingers als je niks doet,' zei Jay.

'Dat is waar. En ik ben ook schor als ik niks zeg.'

Ze zakten op de bank om uit te puffen.

'Waarom ben je nu alweer thuis?' vroeg Lana. 'Heb je heel snel gevonden wat je zocht?

Hun vader knikte. 'Ja. Het zit in mijn koffer.'

'Mag ik kijken?' vroeg Lana.

'Het is niks bijzonders,' zei haar vader. 'Een foto, meer niet.'

'Wat voor foto dan?'

'O, een zanger in een theater in Berlijn.'

Hun moeder kwam binnen met twee boodschappentassen die ze verbaasd uit haar handen liet vallen.

'Rick, je bent er al!'

'Yep, en de kinderen hebben me al half gesloopt.'

Toen hun vader en moeder klaar waren met begroeten – dat duurde nogal lang – durfde Jay voorzichtig de belangrijke vraag te stellen.

'Heb je nog iets meegenomen?'

'Dat is verdorie ook alleen maar waar jullie op uit zijn, hè?' zei hun moeder.

Hun vader grijnsde. 'Zou ik ook zijn. Wacht maar even.'

Hij liep naar de gang, kwam terug met zijn koffer en gaf

hun allebei een cadeau dat in zilverglanzend papier verpakt was.

Het waren platte pakjes en Jay wist meteen wat hij verwachten kon: een cd of een computerspelletje.

'Jullie krijgen het in ruil voor een belofte.'

'Wat dan?' Ze keken hem allebei nieuwsgierig aan.

'Er wordt niet meer via de regenpijp omlaaggegaan. Afgesproken?'

Jays kamer lag aan de achterkant van het huis. Hij had een klein balkon en de regenpijp liep er pal naast. Geweldig als je stuntmannetje speelde.

'Oké,' zeiden ze braaf.

Jay kreeg een spelletje, maar anders dan hij verwachtte. 'Soundmaster' heette het. Het hoesje was bezaaid met muzieknoten en instrumenten. De Engelse tekst kon hij een beetje lezen; hij had tenslotte Engels in groep acht en hij maakte eruit op dat je er iets met muziek mee kon doen. Maar wat?

Zijn vader keek hem onderzoekend aan. 'Wat denk je ervan?' vroeg hij.

'Ik weet het niet,' zei Jay. 'Het is moeilijk Engels.'

Lana, die een muziek-cd'tje had gekregen, bedankte enthousiast en verdween onmiddellijk naar haar kamer om het te beluisteren.

'Het is je eigen opnamestudio. Herinner je je de film *Let it be* van de Beatles nog?'

Jay knikte. De Beatles waren een band van meer dan dertig jaar geleden. Het beste bandje ter wereld, beweerde zijn vader. De film *Let it be* ging over hoe de Beatles hun laatste plaat opnamen.

'Nou, jij kunt nu op je pc meer dan wat ze destijds in die hele platenstudio konden.'

'Maar ik kan helemaal geen muziek maken.'

'En daarom is dit zo'n leuk cd-rommetje. Het maakt automatisch muziek. Je moet het gewoon maar proberen. Voor je het weet heb je een tophit geschreven.'

Jay grijnsde. Hij wist niet wat hij ervan moest denken. Misschien had hij liever ook een muziek-cd gehad.

'Je kunt er trouwens ook nog je eigen videoclips mee maken.'

Dat gaf de doorslag. Jay ging naar zijn kamer en laadde het programma in zijn computer.

Onder het eten vertelde hun vader over de reis die hij voor zijn werk gemaakt had. Spannend was het allemaal niet. Naar het vliegveld, in het vliegtuig naar Berlijn, uit het vliegtuig naar een hotel, speuren in oude papieren en praten met stoffige, oude mensen.

Raar eigenlijk dat iemand met de stem van een kraai naar verloren verhalen en muziek zocht en thuis nooit naar muziek luisterde, op af en toe die cd van de Beatles na.

'Muziek is mijn vak,' zei hun vader. 'Ik ga niet voor mijn lol in mijn vrije tijd ook nog eens naar muziek luisteren. Dan ben ik de hele dag met mijn werk bezig.'

'Dat programma doet niks,' zei Jay. 'Geen clips en geen muziek.'

'Mijn cd is wel te gek,' zei Lana.

'Blijven proberen, Jay,' zei hun vader. 'Je moet het gewoon onder de knie krijgen. Dat duurt even, maar daarna kun je helemaal loos gaan.'

Jay fronste zijn voorhoofd. Hij vond het altijd gek als zijn vader populaire woorden gebruikte.

Loos gaan…

In bed vertelde Lana haar vader over het grijze gebouw.

'En ik heb binnen echt licht zien branden, pap.'

Haar vader stelde een vraag die haar verbaasde. 'Stonk het ook?'

'Nee,' zei ze. 'Ik heb niks geroken. Wat had ik moeten ruiken, dan?'

'Rotte eieren,' zei haar vader.

'Nee, hondenpoep misschien, maar verder niks. Hoezo rotte eieren?'

'Ach, het hindert niet. Er, eh… stond vroeger een fabriek waar het altijd naar rotte eieren stonk.'

Lana zag dat haar vader meer dan gewone interesse had in wat ze vertelde. Hij zei niets, liet niets merken, maar zijn gezicht had een bezorgde trek en zijn ogen stonden aandachtig. En over een eierenfabriek had hij hun nog nooit verteld.

'Waarom maken ze rotte eieren in een fabriek?'

Haar vader grinnikte. 'Laat maar. Maar ik heb liever niet dat jullie bij dat gebouwtje rondhangen.'

'Waarom niet?'

'Gewoon. Ik heb het liever niet.'

Toen haar vader weg was, vroeg Lana zich nog lang af waarom ze niet bij het gebouwtje mochten komen. En was het een verbod van haar vader, of een advies?

'Ik heb liever niet dat jullie bij dat gebouwtje rondhangen,' zei zijn vader, toen Jay meldde dat hij naar bed ging. Jay zakte op de bank. 'Waarom niet? Het is echt een geweldig gebouw, pap. En het moet wel bijzonder zijn, anders hadden ze het niet laten staan.'

Zijn vader knikte en Jay dacht dat hij iets mompelde als: 'Dat klopt.' Maar hij wist het niet zeker.

'En toch... Ik heb het liever niet.'

'Hoezo dan?'

Jay zag een blik in zijn vaders ogen die hij niet kende. Iets van bezorgdheid en... angst.

Angst, dat was vreemd. Waar zou zijn vader bang voor zijn? Er was iets aan de hand. Iets geheimzinnigs. Ze mochten altijd overal komen in de wijk. Het gebouwtje was zo'n beetje het minst gevaarlijke van de hele buurt, vooral omdat je er niet in kon. Nam zijn vader hem in de maling? Jay dacht het niet en dat maakte hem nieuwsgieriger naar het gebouwtje dan hij ooit geweest was.

'Hoezo dan?' vroeg hij nog een keer.

'Dat vertel ik je nog wel eens. Doe me nou een lol en blijf er weg.'

'Ja maar, er zijn mensen binnen, pap. We mogen toch wel gewoon kijken wat ze aan het doen zijn?'

'Juist omdat er mensen binnen zijn,' zei zijn vader. 'Júist daarom.'

In bed trokken actiefilms en griezelverhalen in Jays gedachten voorbij. Smokkelaars, drugshandelaars, verborgen schatten, moordenaars en lijken die al jaren op een begrafenis wachtten... Plotseling was zo'n beetje alles mogelijk in het gebouw.

En dat gaan we haarfijn uitzoeken, nam hij zich voor.

2

De broers op de Dodenakker

Jay en Lana liepen de volgende ochtend op weg naar school voor de zekerheid even langs het grijze gebouw.

Het zag eruit als altijd, potdicht als het gezicht van een verbeten man die niet van plan is ooit zijn geheimen prijs te geven.

Het was alsof er gisteren niemand binnen was geweest, maar Jay en Lana wisten wel beter. Je kon het zien aan de wikkeling van de ketting.

Ze voelden allebei een vreemde spanning, alsof er een stroompje door hen heen trok. Nu hun vader hun had aangeraden uit de buurt te blijven, was het hier nog interessanter.

'Dat gebouw is dicht!' zeiden twee stemmen in koor achter hen.

Verbaasd en een beetje geschrokken draaiden Jay en Lana zich om. Twee oude mannen, haast in het gelid naast elkaar, keken hen achterdochtig aan.

Jay kende de mannen wel. Ze zaten elke dag op een bankje op de Dodenakker. Stil naast elkaar, met hun wandelstok tussen hun knieën leken ze iets in de gaten te houden wat alleen zij konden zien. Jay had altijd het idee dat de twee boeren waren die met heimwee keken naar de plek waar ooit hun boerderij had gestaan.

Hij pakte Lana's hand. De verschijning van de twee oude mannen hier plotseling in de steeg, terwijl ze anders alleen op de Dodenakker zaten, was bijna dreigend.

De twee mannen waren familie, dat was duidelijk te zien. Ze waren broers, misschien wel een tweeling.

'Al twintig jaar is het dicht,' zeiden ze. 'Maar pas op. Als het opengaat, kan er van alles gebeuren.'

Ze keken elkaar even aan en richtten hun blik toen weer op Jay en zijn zusje. 'Wij herinneren ons wat hier gebeurd is. Weet je nog, Mannes? Dat jongetje met zijn gitaar?'

'Ik weet het nog, Graddus. Ik weet het nog of het gisteren was. Zíjn gitaar, Graddus, zei je dat? Het was niet zijn gitaar en ook niet zijn talent.'

Ze hieven allebei hun wandelstok alsof het een hakbijl was.

'Wij wachten hier namelijk al jaren en jaren!' zei de ene oude man – Mannes, blijkbaar – dreigend. 'En wij weten dus alles!'

Lana greep Jay beet en sleurde hem mee.

Ze holden tot ze bij school waren.

In het speelkwartier zochten ze elkaar op. Dat deden ze anders nooit. In groep acht bemoei je je niet met het grut uit groep zes, zelfs niet als het je zusje is.

Nu golden al dat soort regels niet meer. Jay en Lana hadden in de klas aan niets anders gedacht dan aan het grijze gebouw en de broers Mannes en Graddus.

'We moeten erachter komen wie die ouwe kerels zijn,' zei Jay.

'Mannes en Graddus,' zei Lana. 'Dat hebben ze ons zelf verteld, dus dat weten we nu.'

Jay zuchtte, maar Lana ging door. 'Er stinkt iets bij het grijze gebouw. Of er stónk iets. Dat zei papa gisteravond.'

'Hè? Wat dan?'

'Hij vroeg of het er naar rotte eieren stonk.'

'Ik heb nooit wat geroken, jij?'

'Nee, ik ook niet. Maar het is wel raar.'

'Ja, raar is het,' zei Jay.

'Nee-hee,' zei zijn zus, 'ik bedoel: het is raar dat papa ons heel veel over de buurt heeft verteld en nu mogen we opeens niet méér te weten komen.'

Haar broer pulkte aan een vingernagel. Lana had gelijk. Het was inderdaad raar. Er was sinds gisteren van alles raar. En het was begonnen bij het grijze gebouw.

'We moeten gewoon aan papa vragen of hij die twee oude mannen kent,' stelde Lana voor.

'We moeten het die oude mannen zelf vragen,' zei Jay. 'We gaan straks uit school even langs de Dodenakker en dan vragen we het gewoon. Dat is toch het simpelst?'

'Durf jij dat?' vroeg Lana.

'Ik wel.'

'Echt?'

'Tuurlijk.'

'Hé, Jay! Kom je nog voetballen, of hoe zit dat?' werd er geroepen. Jay draaide zich om en gebaarde naar de jongens uit zijn klas.

'Oké!'

Ze liepen uit school naar de Dodenakker, maar het bankje was leeg. De twee oude mannen waren er niet.

Zaten ze er wel elke dag, of waren er misschien dagen dat ze er niet waren? Vreemd dat je zo kon twijfelen aan dingen waarvan je dacht dat ze nooit veranderden.

Een beetje verloren omdat hun plannetje in duigen viel en ze niets nieuws konden verzinnen, bleven ze dralen in het park, tot Lana zei: 'We kunnen bij het grijze gebouw kijken. Misschien zijn ze daar, net als vanochtend.'

Jay dacht na en knikte. Als je niets kunt bedenken, is alles beter dan niets doen. Ze liepen naar het steegje en gluurden uit voorzorg om de hoek.

Dat was verstandig, want wat ze zagen, konden ze beter ongezien bekijken. Voor de deur van het grijze gebouw stond hun vader. Hij voerde een heftig gesprek met de twee broers.

Jay en Lana konden niet verstaan wat er gezegd werd, maar wat ze zagen was genoeg.

Ze slopen een eindje terug en renden naar huis.

Eerst de waarschuwingen van hun vader, daarna die van de broers en nu dit vreemde gesprek; het waren voor Jay en Lana voldoende redenen om beslist uit te zoeken wat er aan de hand was met dat onopvallende pandje.

'We gaan erachter komen,' zei Jay toen ze hun straat in kwamen. Lana knikte.

'Waar is papa eigenlijk?' vroeg Lana toen ze aan tafel zaten. 'Die moest iets regelen,' zei hun moeder. 'Hij zal straks wel komen. Melk?'

'Die twee mannen die altijd op de Dodenakker zitten,' zei Jay, 'weet jij daar wat vanaf?'

Zijn moeder kauwde nadenkend op haar brood. 'Nou, niet echt. Ik weet dat ze er vaak zitten.'

'Altijd,' zei Jay. 'Elke dag.'

'Zou kunnen, hoezo?'

'Gewoon.'

'Vraag het maar aan papa. Die weet veel meer van de buurt dan ik.'

Dat was precies het antwoord waar Jay voor gevreesd had. Gelukkig had Lana nog een goede vraag.

'Hoe komt het eigenlijk dat papa zoveel weet?'

'Tja…' Hun moeder schonk melk in. 'Voorzover ik weet heeft hij hier veel gespeeld toen hij zo oud was als jullie. Alles was hier toen geloof ik al gesloten en leeggeruimd, dus het was een geweldige plek voor hutten en avonturen en zo. En ik geloof ook dat hij in allerlei archieven wetenswaardigheden over de buurt heeft opgesnord.'

'Speelde jij hier ook?' vroeg Lana.

'Nee, schat, ik ben hier niet opgegroeid. Ik kom uit

Utrecht, weet je nog? Waar opa en oma ook wonen.'

'O ja.'

Het gesprek liep dood. Ze wisten allebei niet hoe ze hun moeder onopvallend konden uithoren.

Het was woensdag; om vier uur moest Jay naar judo, om halfvijf had Lana turnen. Er was genoeg tijd om op onderzoek uit te gaan. Ze liepen naar de Dodenakker, maar het bankje van de oude mannen was ook nu leeg.

'Het grijze gebouw dan maar?' zei Jay.

'Tuurlijk.'

De wijk baadde in een gloed van vals zonlicht. Ramen schitterden, de nog jonge bomen maakten scherpe schaduwen en je rook het gras, maar er zat dreiging in de lucht. Aan de horizon hingen donkere wolken. Als het dadelijk ging regenen, zou het geen mals voorjaarsbuitje zijn.

Langs de straten stonden de nieuwe huizen te blinken in het licht. Ze verschilden allemaal van elkaar. Platte daken, puntdaken, gekantelde kubussen, ronde daken met gebogen muren eronder, huizen alsof een reusachtige kleuter met lego bezig was geweest. Het was allemaal mooi en nieuw, maar op de een of andere manier klopte het niet.

Jay had wel eens bedacht dat op een plek waar zo veel akelige dingen gebeurd waren, niet zomaar nieuwe huizen gebouwd mochten worden. Nu was het een gewone nieuwbouwwijk geworden waar niets gebeurde, terwijl er langgeleden toch lijken aan galgen hadden gebungeld. Er lagen hier rovers en moordenaars begraven.

Lana keek bezorgd naar de lucht. 'Zullen we naar huis gaan?' vroeg ze.

Ze waren al bij de ingang van de steeg. Er brandde licht achter de smalle ramen van het grijze gebouw. Ademloos, hand in hand, bleven Lana en Jay staan.

De ketting hing niet meer om de deur, zag Jay.

De eerste dikke, luie, druppels vielen. De wolken waren vanaf de horizon naar hen toe geschoven en hingen nu recht boven hen. Vóór hen was de lucht blauw, achter hen was het inktzwart.

Ze hoefden elkaar alleen maar aan te kijken. Toen holden ze de steeg door en trokken allebei aan een helft van de stalen deur.

Terwijl een galmende donderslag klonk, stapten ze naar binnen. Ze waren in het grijze gebouw. Eindelijk.

De regen kletterde als kiezels op het dak. Het was nu zo donker dat hun ogen moesten wennen. Ze stonden in een kleine hal met kale muren. Het rook er naar stof, de typische eenzame geur van gebouwen waar al heel lang niemand meer geweest is. Naar rotte eieren rook het in elk geval niet. Zodra Lana thuis durfde te zeggen dat ze hier binnen waren geweest, zou ze haar vader dat zeker vertellen.

In de hoek van het halletje stonden twee manshoge kisten op elkaar. Vocht en schimmel hadden ze een raar bobbelig uiterlijk gegeven.

Een deur die bekleed was met vloerbedekking stond op een kier. Korrelig licht scheen vanaf de andere kant naar buiten.

Jay pakte de deurklink en trok. Het licht dat over hen heen viel, zorgde alweer dat ze even niets zagen. Ze knipperden met hun ogen.

Eerst hoorden ze een stem, toen pas zagen ze wie er praatte: een oude man met hippiehaar in een paardenstaart. Wat er gezegd werd verstonden Jay en Lana niet en er was ook geen stem die antwoordde. De man was alleen. Hij stond over een la gebogen en zocht iets met wilde gebaren.

Het was Jay die als eerste zijn blik liet rondgaan. Zijn ogen werden groot en zijn mond zakte een beetje open. Hij liet de deur los, die geluidloos nog iets verder openzwaaide. Voor hem en om hem heen zag Jay het decor van een film: van *Let It be*.

3

Paul van het geluid

Lana zag hoe haar broer min of meer verstijfde. Ze begreep niet precies waarom. Ze stonden in een stoffige kamer met grauwe kasten, stoelen en banken. In de muur tegenover hen was een lang, smal raam, waardoor je in de volgende ruimte kon kijken.

Onder het raam stonden kasten, of bureaus, die met lakens waren afgedekt. Witte lakens, die inmiddels net zo grijs waren als de smalle ramen hoog in de buitenmuur. Het licht was grijs, alsof ook om de lampen een dikke laag stof kleefde. Er hing de bittere geur van iets wat schroeide, misschien wel het stof op de lampen.

Aan de muren die vroeger ongetwijfeld kleur hadden gehad, hingen ingelijste portretten; foto's en vreemde gouden schijven. Wat ze voorstelden was niet meer te zien.

In de ruimte achter het raam stonden wat schotten en meubels met lakens eroverheen, verder niets. Wat Lana alleen nog opviel waren de muren die een raar soort bobbeltjesbehang hadden.

Het was voor Lana onmogelijk te raden waar het grijze

gebouw voor diende. Het was geen kantoor, geen fabriek, ook geen dokters- of tandartspraktijk. Een winkel of opslagplaats al helemaal niet. Ze merkte wel dat het hier vreemd stil was. Zo stil dat ze iets miste, al wist ze niet wat.

'Hé, Jay,' fluisterde ze. 'Wat is dit?'

Haar broer antwoordde ademloos. 'Een opnamestudio. Een geluidsstudio, een platenstudio.'

De man met het paardenstaartje keek met een ruk op uit de la. Toen hij hen zag liet hij zijn armen zakken en keek hen stug aan.

'Ja?'

De regen hoorde je hierbinnen niet. Het was doodstil. Het grijze gebouw was bijzonder goed geïsoleerd en dat moest natuurlijk ook, want je kon een opname niet laten verpesten door regen of een onweersbui met hagel.

'Dit is een studio!' zei Jay en hij kon een grijns van oor tot oor niet onderdrukken. 'Dat wisten we helemaal niet, hè Lana?'

'Wat doet u hier?' vroeg Lana. Het klonk niet eens onbeleefd.

De man ontdooide door Jays enthousiasme. 'Wat ik hier nu doe? Ik zoek iets. Vroeger werkte ik hier.'

'Was u een popster?'

De man schudde zijn hoofd. 'Nee. Maar kom binnen. Blijkbaar zijn jullie nogal dol op studio's. Je mag wel even rondkijken. Even, want... nou ja, pottenkijkers zijn hier niet gewenst.'

'Er is toch niks te zien?' zei Lana, een beetje bot.

'Tuurlijk wel,' zei Jay. En tegen de man met het staartje: 'Ik heb *Let it be* gezien. Ik ben Jay en dat is Lana, mijn zusje.'

Er gleed een tevreden uitdrukking over het gezicht van de man toen hij hen de hand schudde, alsof hij had geweten dat ze zouden komen, alleen niet wanneer. 'Ik ben Paul, ik was hier de opnametechnicus. Ik deed het geluid.'

'Jammer dat u geen popster bent.'

Paul glimlachte. 'Maar ik heb er wel voor gezorgd dat liedjes zo goed klonken dat ze hits werden. Een beetje popster ben ik dus wel.'

'En gaat de studio weer open? Bent u daarom hier?'

'De studio gaat sluiten, voorgoed. De slopers komen over een paar dagen. Ik zoek iets wat is achtergebleven toen we onverwacht dicht moesten, drieëntwintig jaar geleden. Nou, ik vond het leuk dat jullie even kwamen, maar nu moeten jullie maar weer gaan.'

Hij maakte een streng gebaar naar de deur. Jay en Lana gehoorzaamden zwijgend.

In het halletje hoorden ze dat het niet meer regende en buiten stond de zon alweer aan de hemel. Er lagen grote, glimmende plassen in de steeg.

Voor de ijzeren buitendeuren bleven ze staan, allebei een beetje beteuterd, allebei om een andere reden.

Jay had gehoopt op muziek, op wat hij in *Let it be* had gezien.

Lana had een heel andere reden. De magie van een opnamestudio had geen vat op haar. Ze had een vreemd en dringend gevoel dat het grijze gebouw meer was dan een verlaten gebouw. Natuurlijk, er was al heel lang niemand meer binnen geweest, maar ze voelde dat het in al die jaren nooit echt verlaten was geweest. Alsof er in een verborgen hoekje nog iets leefde. Iets wat wachtte tot het werd gewekt.

Nu opeens wist ze waarom ze steeds weer naar het grijze gebouw toe werd gelokt: om erachter te komen wat daar wachtte, wat daar was achtergebleven terwijl het stof en het vuil overal aan vast kleefden.

De gezichtsuitdrukking van Paul tijdens het voorstellen was haar niet ontgaan. En nu ze erover nadacht was er iets in zijn houding en zijn blik geweest wat zei: stiekem. Wat Paul zocht, zocht hij stiekem.

'Gekke man, hè?' zei Lana.

'Te gekke studio,' antwoordde Jay.

'Ik vond het maar een vieze troep.'

'Dit moet papa horen. Een echte platenstudio bij ons in de buurt, net als in die Beatles-film.'

'Papa heeft gezegd dat we hier niet mochten komen,' zei Lana.

'Ja, maar als hij dít hoort…' Jay wist zeker dat zijn vader net zo enthousiast zou zijn als hij.

'We mogen toch niet meer naar binnen en over een paar dagen ligt alles plat. Wil jij nog naar die twee broers zoeken?' Lana had het gevoel dat de twee oude mannen hun meer over de studio konden vertellen.

'Hm? O ja…' zei Jay.

Al waren ze niet meer dan vijf minuten binnen geweest, Jay zat helemaal in de wereld van de studio. Hij zag de beelden van de film *Let it be* voor zich: vier mannen – echte popsterren, de beste band ooit – die op krukken zaten, gitaren op schoot, microfoons op standaards voor zich. Over de vloer liepen bossen kabels. Geluidsmensen waren bezig met van alles om het geluid in orde te krijgen. De vier muzikanten speelden losjes op hun instrumenten. Soms ging een van hen achter een zwarte vleugel zitten en speelde wat piano. Het leek chaotisch, alsof iedereen maar wat deed. Maar zodra er 'Stilte, opname' werd geroepen, klonk er opeens geweldige muziek.

Paul van het geluid was dan misschien geen popster, hij had wel met popsterren gewerkt. Wist jij veel wie hij allemaal kende?

Toch eens aan papa vragen wie er beroemd waren in de tijd dat de studio nog open was, dacht Jay.

De twee oude mannen was hij al bijna vergeten toen Lana erover begon.

'Welja, laten we maar kijken of ze er nu wel zijn,' zei hij.

De twee broers Mannes en Graddus zaten op het bankje, roerloos, als levende standbeelden. Ze bezetten allebei een uiteinde. Het was net alsof ze in het midden een plekje vrijhielden.

Lana en Jay liepen over het korte, nog glinsterende gras van de Dodenakker. Ze bleven allebei tegelijk staan, alsof ze allebei vonden dat ze beter niet te dichtbij konden komen. Met wandelstokken kun je flinke meppen uitdelen.

'Meneer,' zei Jay zo beleefd als hij kon, 'waarom mogen we niet in de studio komen?'

'Onze vader heeft ons ook al gewaarschuwd,' vulde Lana aan.

Graddus en Mannes keken elkaar aan, overlegden woordeloos en bekeken Lana en Jay toen aandachtig.

'Het is er gevaarlijk,' zei Graddus vermanend. 'De studio is weer open en dat betekent gevaar. We weten niet wat er gebeuren gaat, maar we houden het scherp in de gaten. Voor onze broer.'

'En voor de jongen met zijn gitaar,' zei Mannes. 'Voor hem ook. En voor de volgende jongen met een gitaar.'

Lana en Jay keken elkaar aan. Wartaal was het, maar de broers wisten blijkbaar precies waar ze het over hadden.

'Wat er met onze broer in de studio is gebeurd, mag niemand anders overkomen,' zei Graddus. 'Daar waken wij over. Dus pas op!' Ze legden allebei hun handen in hun schoot, tegelijkertijd, alsof ze het hadden ingestudeerd.

Jay en Lana zagen dat het gesprek was afgelopen. Ze zouden niets meer te horen krijgen van de twee oude mannen.

4

Gesprek in de studio

Jay en Lana konden zich nauwelijks een houding geven toen hun vader vlak voor het avondeten thuiskwam. De nieuwsgierigheid maakte hen onrustig, ze draaiden op hun stoel, stootten elkaar aan en wierpen elkaar blikken toe.

'Gaat het stormen?' vroeg hun vader, die heel gewoon deed, alsof hij vanmiddag niet bij de studio was geweest waar ze van hem niet mochten komen.

'Ze zijn gewoon blij dat je er weer bent,' zei hun moeder.

Jay knikte, veel te heftig om overtuigend te zijn. Er schoot hem iets te binnen. Een gemene streek, een valkuil, een instinker.

'Hé pap...'

'Ja?'

'Op de Dodenakker, daar zitten toch altijd die twee oude mannen?'

'Hm-hm. Nou ja, niet altijd, vaak,' zei hun vader.

'Nou, Lana en ik zagen ze vanmiddag daar weer zitten en nou vroeg ik me af: weet jij waarom ze daar zitten?'

Nu had hun vader moeten zeggen: 'Vreemd, ik ben ze vanmiddag tegengekomen voor die studio waar jullie weg moeten blijven.' Maar dat deed hij niet. Hij legde zijn vork neer en zei: 'De gebroeders Gerber. Tja, dat is een vreemd verhaal… Vroeger, toen het hier industriegebied was, stond er aan de rand van de fabrieken een pension. Het was er voor mensen die te ver weg woonden om elke dag naar huis te gaan. Zij logeerden doordeweeks in het pension. De broers Gerber hadden er een kamer. Ze werkten niet in een van de fabrieken; ze wachtten er op hun broer.'

'Werkte die dan wel?' vroeg Lana.

Haar vader schudde zijn hoofd. 'De broers Gerber waren getikt, dat wist iedereen. Maar hoe het precies zat? Die derde broer was dood, maar de twee broers dachten dat hij weer zou opduiken. 's Nachts werd er regelmatig iemand gezien die sprekend op hem leek.'

'En?' vroeg Jay.

'Dat is een raar verhaal dat niemand zal geloven.' Zijn vaders stem klonk opeens nog rauwer dan anders. Hij vouwde zijn vingers met moeite om zijn vork, stak die in zijn mond en begon uiterst geconcentreerd te kauwen, alsof hij iets wegmaalde wat hij anders misschien per ongeluk zou vertellen.

'Hoe was judo?' vroeg hij toen zijn mond leeg was.

Die avond, bij het tandenpoetsen, zei Jay tegen Lana: 'Waarom heeft papa niet verteld dat hij vanmiddag bij de studio was?'

'Omdat wij er anders ook weer heen zouden willen?'

'Hm, ik denk het niet.'

'Wat denk jij dan?'

'Dat weet ik niet.'

Lana, die op de rand van het bad tegenover het raam zat, keek opeens geboeid naar buiten. Ze liet de tandenborstel zoemen in haar mond, maar poetste niet meer.

'Wat is er?' vroeg Jay.

'Er staat iemand buiten. Een man.'

Jay kwam naast haar zitten. In het licht van een lantaarnpaal aan de overkant leek inderdaad iemand te staan. Een lange, zwarte gedaante met een bleek gezicht keek aandachtig naar hen op. Maar er was helemaal niemand. Het waren alleen maar schaduwen die bij elkaar kropen en net deden of er iemand stond. Welke schaduwen? Er waren helemaal geen schaduwen. De lantaarn straalde een eenzaam koud licht de avond in. Ze hadden zich allebei vergist. Geen man, geen schaduwen. En toch…

De volgende ochtend kondigde de weerman op tv een hittegolf aan, een paar dagen van uitzonderlijk heet weer, alsof de herfst zich vergiste.

Op weg naar school bleek dat de voorspelling klopte, het was tien over acht en nu al warm.

Jay en Lana maakten een omweggetje langs de Dodenakker.

De twee broers zaten op het bankje, allebei op een uiteinde met tussen zich in plek voor iemand die er nog niet was, maar wel verwacht werd.

'Vanmiddag om twaalf uur,' zei Jay. 'We gaan gewoon tussen hen in zitten en vragen wat er aan de hand is met hun broer en de jongen met zijn gitaar.'

'Ik kan niet om twaalf uur,' zei Lana. 'Ik zou met Roos mee naar huis gaan.'

Jay zuchtte. 'Om halfvier dan?'

'Dat is goed.' Lana stootte haar broer aan en wees naar de rij bomen langs de Gedempte Vrachtvaart. Hun schaduwen lagen trillerig van de hitte op de grijze tegels. Een lange rij van min of meer dezelfde schaduwen, met één afwijkende, in de vorm van... Ze hadden het allebei gezien, of hadden ze zich vergist? Kon dat? Heel even was er in een van de schaduwen een gestalte te zien, een mannengedaante.

Ondanks de warmte en het schelle ochtendlicht huiverden ze allebei en zetten het op een lopen.

Toen ze 's middags na school op de Dodenakker kwamen, was het bankje van de gebroeders Gerber leeg.

'En nu?' vroeg Lana.

'Naar de studio,' zei Jay. 'Ik wil iets weten over die jongen met zijn gitaar. Ik weet zeker dat Paul ons er meer over kan vertellen.'

'En als die er nou niet is?'

'Dan vragen we het papa.'

Lana keek haar broer twijfelend aan. Was dat wel een verstandig idee? Hun vader had hun vast niet voor niets min of meer verboden om bij de studio te komen. Maar

Jay had gelijk, hij moest er meer van afweten. Dat hij hun zelden iets verbood, was al veelzeggend.

'Oké,' zei ze.

Tot hun opluchting hing de ketting niet aan de buitendeuren. Er was dus iemand in de studio.

Toen ze de met tapijt beklede deur opentrokken hoorden ze een liedje. Iemand speelde gitaar en zong. Het was een stem die ze kenden, maar niet konden thuisbrengen. Ze hadden deze stem heel vaak gehoord. Was het iemand van school? Iemand die ze van televisie kenden?

De muziek stopte onmiddellijk toen ze de deur verder opendeden.

Paul, die over een kast gebogen stond, kwam overeind alsof hij door zijn moeder betrapt werd op stelen uit haar portemonnee.

Hij leek opgelucht en kwaad tegelijk toen hij Jay en Lana zag.

'Ik schrok me rot,' zei hij. 'Wat komen jullie nou weer doen?'

Ze gaven niet direct antwoord, hun ogen hadden het even te druk met rondkijken.

Wat de vorige keer met lakens was afgedekt, stond nu open en bloot te kijk. Apparaten, machines, metalen kasten, met zwart leer beklede kasten, een vreemde, spannende verzameling spullen.

Jay zag versterkers, luidsprekerboxen, een mengtafel. Onder het lange, smalle raam stond een apparaat zo groot als een televisiemeubel. Bovenop draaiden twee ijzeren spoelen met een plastic lint ertussen.

Jay herkende het apparaat: het was een bandrecorder. Zo nam je vroeger muziek op. Onhandig en groot, het was een onding uit de tijd dat er nog geen md's, cd's en harde schijven of mp3'tjes bestonden. Hij kwam uit de tijd van de Beatles en *Let it be*. Jay keek ademloos.

In de ruimte achter het glas waren de lakens ook weggehaald. Een drumstel stond in een hoek, er waren microfoonstandaards, gitaarstandaards, er stonden een piano en een elektronisch orgel. Voor zijn ogen zag Jay de studio bevolkt met muzikanten. Een drummer op het drumstel, een pianist achter de piano, iemand met een basgitaar, twee gitaristen en een zanger achter een microfoon. Hij hoorde de muziek zelfs, alsof hij terug was in de tijd dat er in de studio nog hits werden opgenomen.

Lana verstoorde zijn mooie gedachten met korte rukjes aan zijn mouw.

'Ja-ay!'

Terwijl hij opzij keek, dacht Jay iemand te zien bij het drumstel. Een schaduwachtige gestalte van een man met een bleek gezicht en strak achterovergekamd haar keek hem doordringend aan. Nog terwijl hij hem zag, was de gedaante alweer verdwenen.

'Jay, Paul vraagt wat.'

'O ja?' zei Jay. 'Wat dan?'

'Waarom komen jullie hier nu alweer? Ik heb toch gezegd dat dit verboden gebied is?'

Het floepte uit Jays mond voor hij er erg in had. 'Daarom juist.'

Pauls lach schalde door de ruimte. 'Dat is het beste antwoord dat ik ooit gekregen heb.'

Jay grijnsde. Dit was een meevaller.

'Nou, kijk maar even rond. Nergens aanzitten alsjeblieft, dit spul is stokoud, bijna antiek. Het kan zo het museum in.'

'Doet alles het nog?' vroeg Jay.

'Wat is het allemaal?' vroeg Lana.

'Alles doet het nog alsof we gisteren de laatste opnamen hebben gemaakt en niet tweeëntwintig jaar geleden. Het is een wonder...'

Jay liep naar het raam en keek naar het mengpaneel. Rijen knopjes en schuifjes, metertjes achter glas. Het zag eruit alsof je er een ruimteschip mee kon besturen.

Links en rechts van het raam hingen luidsprekers. De bandrecorder met zijn spoelen stond bijna onhoorbaar te brommen.

Jay bekeek de banden. Wat zou erop staan? Welke wereldhits, gezongen door wereldsterren?

Onwillekeurig, omdat hij het niet kon laten, gleed zijn hand naar de knoppen van de bandrecorder. Zijn wijsvinger kwam als vanzelf boven de afspeelknop te hangen. En zonder nadenken drukte hij hem in.

Een ruis kwam uit de boxen, eerst zacht en laag, meer voelbaar dan hoorbaar, daarna iets harder en hoger, tot er opeens geluid was. Gekraak, geswisj, fluittonen, een hoop geritsel alsof iemand aluminiumfolie verkreukelde en toen was er opeens een stem die zei: 'Take 8 "Ik deed niks".'

Een drummmer tikte af.

Paul die op Jay af was gekomen met een gezicht dat op weg was naar woedend, bleef verbijsterd staan.

'Dit is hem,' fluisterde hij alsof hij in een museum was – een geluidsmuseum – en daar eindelijk het schilderij zag dat hij al zijn hele leven zocht.

'Dit is hem! Take 8! De definitieve opname! Hij lag nog gewoon...' Hij schudde zijn hoofd. 'Hij lag nog gewoon op de recorder!'

Met een haastig gebaar zette hij de band stil. 'Ik moet heel voorzichtig zijn. Die tapes kunnen tot stof uit elkaar vallen en...'

Net voordat hij de stopknop indrukte hoorden Jay en Lana weer die stem die een melodietje inzette. Meer dan de beginklanken van een woord waren het niet, maar ze kenden die stem. Ze wisten het zeker.

Paul had geen aandacht meer voor zijn bezoek. Hij was naar een stalen archiefkast gelopen, trok hem open en begon te scharrelen tussen vierkante platte dozen. 'Nummer 664,' hoorden ze hem mompelen. 'Dan moeten 661 tot 666 erbij horen. Of heb ik alles later tóch op één tape gezet? Ik weet het niet meer.'

Jay en Lana keken elkaar nog steeds aan. De stem op de band bleef in hun oren hangen, hij klonk alsof ze hem zouden kunnen horen wanneer ze maar wilden. En dat was ook wel een beetje zo.

Alsof het een pasgeboren katje was, zo voorzichtig haalde Paul de band van de machine. Hij legde hem in een kartonnen doos.

Jay en Lana voelden de betovering van daarnet wegebben.

'Wat is dit voor band dan?' vroeg Jay. 'Is dit een tophit?' Paul deed de doos dicht en schudde meewarig zijn hoofd.

'Het had er wel een kunnen zijn, dat weet ik zeker. Als alles niet zo gelopen was als... En als er toen niet van die idiote dingen waren gebeurd... En als we deze opnamen gewoon op de plaat hadden gezet... Als de elpee *Zuidklauw* was uitgekomen... *Zuidklauw*, zo moest hij gaan heten, omdat de jongen met zijn gitaar links was. In Amerika heet een linkshandige gitarist een "southpaw". Wij vertaalden het naar "Zuidklauw".'

Hij schudde zijn hoofd. Toen keek hij Jay dankbaar aan.

'Als je naar me geluisterd had en overal met je vingers was afgebleven...' Hij gooide een tweede archiefkast open en een derde. Ze stonden allemaal vol kartonnen opbergdozen voor geluidsbanden.

'Hoeveel uur muziek ik had moeten doorspitten, geen idee. En al die tijd lag de band gewoon op de recorder. Geweldig. Ik hoef nu alleen nog maar een kopie te maken.'

Lana, ongeduldig als altijd, stelde de vraag die Jay niet durfde te stellen omdat hij hoopte dat Paul er zelf over zou beginnen. 'Wie heeft die liedjes dan gemaakt?'

'Dat wil ik jullie best vertellen. Maar niet hier en niet vandaag. Ik heb een klusje te doen dat niet kan wachten. Komen jullie morgen terug? Dan kan ik jullie ook iets laten horen, dat is wel zo leuk.'

Jay en Lana knikten.

'Na school, om halfvier?' vroeg Jay.

'Prima,' zei Paul.

Ze liepen de studio uit.

'Zullen we kijken of de broers Gerber er zijn?' zei Lana. 'Zij kunnen ons misschien meer vertellen.'

'Goed,' knikte Jay.

Ze hoefden niet naar de twee bejaarde broers te zoeken, want ze liepen hen bij de ingang van de steeg bijna omver.

De broers, allebei zwaar leunend op een wandelstok, deinsden achteruit alsof ze verwachtten heel iemand anders uit de steeg te zien komen.

'Jullie,' zei Mannes toen hij op adem was gekomen. 'Jullie leken wel een zwarte gedaante die kwam aanstormen om ons...'

'We hadden jullie toch gewaarschuwd?' zei Graddus. 'Je moet hier wegblijven.'

'En wat komt u zelf dan doen?' vroeg Lana brutaal.

Het overrompelde de twee, want ze gaven antwoord. 'Kijken of hij er weer is.'

'Ja hoor, hij is er.'

De broers wankelden bijna. Hun gezichten waren asgrauw.

'Is... hij...'

'Paul heet hij en hij is van het geluid,' zei Lana.

'En hij is wel streng, maar niet eng, hoor,' zei Jay.

De broers herstelden zich snel. 'Paul,' zei Graddus. 'Zolang híj er maar niet is. Luther.'

'Kom,' zei zijn broer. Zonder nog naar hen te kijken, liepen ze de steeg in.

Jay en Lana hadden maar één blik over en weer nodig. Ze wachtten tot de broers achter de deuren van de studio waren verdwenen en holden hen toen achterna.

Ze trokken een van de zware deuren open, opnieuw werden ze overvallen door de geur van stof in het halletje. De deur naar de studio – de controleruimte, wist Jay nu – was gesloten. Er drong geen geluid doorheen.

Jay begreep nu waarom de deur beplakt was; de vloerbedekking moest geluiden dempen.

Hij legde zijn hand op de klink en duwde hem naar beneden, voorzichtig alsof hij er een tijdbom mee in werking zette. De deur ging op een kier die te klein was om licht door te laten, maar wel geluid het halletje binnenbracht.

'Natuurlijk ken je ons nog!' zei een van de broers. 'Wij kennen jou ook nog. Je bent oud geworden, jongen. Toen onze broer hier kwam, had je nog geen grijze haar op je hoofd. En moet je nou eens zien.'

'U bent allebei geen dag ouder geworden,' zei Paul ongelovig. Geen dag. Jullie moeten negentig zijn, of misschien wel honderd...'

'We tellen de jaren allang niet meer,' zei Mannes. 'Ze komen en gaan voorbij en wij zitten op onze bank. Niet onze oude bank, natuurlijk. Die bestaat niet meer. We hebben een plek dichtbij gezocht.'

'En waarom zijn jullie nu hier? Wat willen jullie van me?'

'Deze plek deugt niet,' zei Graddus. 'Dat weet jij ook. Kun je je de jongen nog herinneren? De jongen met zijn gitaar?'

'Ja,' zei Paul aarzelend. 'Daarom ben ik...'

'Met onze broer begon het. Hij is met zijn gitaar bij jou gekomen. Jullie zouden... hoe heet dat tegenwoordig... tophits gaan maken. Schlagers heette dat toen wij jong waren. Maar het werden geen schlagers! En jij, jij hebt onze broer naar de lommerd gestuurd om...'

'Ho ho,' zei Paul. 'Jullie broer wilde succes. Ik heb hem steeds verteld dat succes niet te koop was.'

'Maar wel te leen,' zei een van de gebroeders Gerber. 'Te leen bij de bank van lening. Je hebt onze broer in het verderf gestort!'

Het hele gesprek werd op een beschuldigende toon gevoerd. Jay en Lana begrepen dat er vroeger iets was gebeurd in de studio, maar ze konden er niet veel van maken.

Jay gaf Lana een stootje. Zijn zus knikte en ze draaiden zich tegelijk om naar de zware voordeur.

Die ging open en een gedaante verscheen.

Steels rondkijkend, met sluipende bewegingen, kwam

iemand het halletje binnen. Iemand die hen vanwege de schemering niet zag.

Jay en Lana herkenden hem onmiddellijk. Ze doken weg achter de hoge kisten, waar precies genoeg ruimte was om je te verbergen voor iemand die niet goed keek.

In het donker zagen ze elkaars verbazing in de glans van hun ogen.

Lana wilde iets zeggen, maar Jay legde zijn hand tegen haar lippen.

Nu mocht zeker niemand weten dat ze hier stonden.

Wat er gebeurde als ze ontdekt werden, wisten ze niet en dat wilden ze graag zo houden.

De deur ging open, stemmen golfden onverstaanbaar naar buiten, de deur ging weer dicht. Er was geen geluid meer te horen.

Jay en Lana wisten dat het zinloos was om hun oor tegen de deur te leggen. Ze zouden toch niets horen van wat de vier mannen met elkaar te bespreken hadden. Vier mannen en één ervan was hun vader.

5

De stank van rotte eieren

Het was heel raar aan tafel, die avond. Jays vader trok zijn neus op toen hij het eten op zijn bord schepte.

'Is er iets?' vroeg hun moeder.

'Ik ruik rotte eieren. Heb je een sausje gemaakt met een verkeerd ei of zo?'

'Toe nou!' zei hun moeder. 'Zie jij saus? Zit er ei in het eten?'

'Nee,' zei hun vader.

'Nou dan.'

Jay keek Lana aan. Rotte eieren. Alweer. Er was in huis nog nooit over rotte eieren gepraat. Wat rook hun vader? Hij keek hen onderzoekend aan, maar stelde niet de vraag die Jay verwachtte. Dat was misschien nog erger dan weten dat je een antwoord ging geven dat niet klopte.

In bed gingen Jays gedachten verder met waar ze al de hele middag mee bezig waren: wat had hun vader te zoeken in de studio? Hij was er binnengekomen alsof hij het gebouw kende. Zonder aarzeling was hij de deur door gegaan.

Toen zijn vader hem welterusten kwam wensen, kon Jay zich niet meer inhouden. Gewoon doen na een middag met onbegrijpelijke gebeurtenissen hield je even vol, maar niet lang.

'Pap... die twee oude mannen op de Dodenakker...'

'Ja?' Er klonk een oplettende toon in zijn vaders stem.

'Vanmiddag waren we op de Dodenakker en...'

Het hele verhaal rolde eruit. Jay vertelde alles over de gebroeders Gerber. Zijn vader luisterde, naast hem, op de rand van het bed, met een gezicht dat verbaasd, boos en uiteindelijk diepbezorgd was. Hij onderbrak Jay niet één keer.

'Heb je rotte eieren geroken?' vroeg hij eindelijk, nadat ze allebei even zwijgend naast elkaar hadden gezeten.

Jay schudde zijn hoofd. Wat nou toch rotte eieren, dacht hij een beetje geërgerd.

Hij zei het voordat hij er erg in had en direct had hij enorme spijt: 'Jij kent de broeders Gerber. En je bent ook met ze in de studio geweest.'

Zijn vader verstijfde even, Jay zag hem zijn vingers samenknijpen.

'Waarom mogen wij er niet naar binnen en ga jij zelf wel?'

'De tophits,' mompelde zijn vader.

'Wat?'

'Tophits.' Zijn vader glimlachte wrang.

'Huh?'

'Het is een lang verhaal.'

'Vertel dan.'

'Het gaat over een jongen en zijn gitaar. Een jongen van twaalf die op een dag de studio binnen liep. Er werden toen nog echt platen gemaakt. Die jongen speelde een liedje voor Paul, de geluidstechnicus. Hij had het zelf geschreven. Paul vond het geweldig en hij beloofde de jongen dat hij opnamen zou maken als de jongen meer liedjes had.'

Jays vader grinnikte. 'Nou, dat heeft Paul geweten. Een paar dagen later stond de jongen weer met zijn gitaar op de stoep. Hij had meer dan tien liedjes bij zich.'

'Tophits?' zei Jay. 'Net als de Beatles?'

'Dat zullen we nooit meer weten. De opnamen zijn niet afgemaakt.' Zijn vader zweeg en keek naar het plafond.

'Maar die rotte eieren dan?' vroeg Jay.

'Dat is een heel ander verhaal. Je moet lekker gaan pitten, man. Het is al laat.'

Zijn vader gaf hem een zoen en liep de kamer uit.

Jay lag nog lang wakker. In zijn hoofd zoemden vragen. Veel vragen. De jongen met zijn gitaar, alweer die jongen met zijn gitaar… En hoe wist zijn vader dit allemaal? Wat had hij ermee te maken?

Hij viel in slaap met de vraag of hij zijn ouders moest vertellen van de man die er niet was in het licht van de straatlantaarn. Zijn gezicht zweefde voor zijn ogen. Mager, wit, glad achterovergekamd haar, een hoog voorhoofd met twee merkwaardige bulten.

Midden in de nacht had Lana een vreemde droom.

Ze hoorde een klok twaalf slaan en droomde dat ze in een soort theater zat. Helemaal bovenin, bijna tegen het plafond. Heel ver weg, diep onder haar, stond iemand te zingen op een enorm podium. Of er verder nog iemand in de zaal zat, kon ze niet zien. Alles was donker, behalve die zanger die in het licht van een schijnwerper stond te zingen.

Ze verstond maar één zin uit het lied: 'Praat er maar met niemand over.'

Net wat papa zei, dacht Lana. Maar dit is papa niet.

Toen Jay en Lana de volgende ochtend beneden kwamen, zat hun moeder aangekleed aan tafel. Ze wisten wat dat betekende: hun vader was naar het station gebracht.

Hun moeder zag de vraag op hun gezichten. 'Papa werd gisteravond gebeld. Hij moet even naar Amsterdam. Het is maar een dagje, aan het eind van de middag is hij er weer.'

Het is een smoes, dacht Jay. Papa is ervandoor omdat hij zijn verhaal van gisteravond niet verder wilde vertellen. Het werd allemaal steeds vreemder.

Ze gingen vroeg naar school en maakten een omweg langs de Dodenakker. De gebroeders Gerber waren er niet.

Het keurige grasveldje met de keurige nieuwe huizen in de verte, de jonge bomen, alles nieuw, alles keurig... té keurig, dacht Jay. Vroeger was het hier verboden gebied en nog veel vroeger was het hier verdoemd gebied. Dieven, moordenaars…

'Wat kijk je nou,' vroeg Lana. 'Wat zie je?'

'Weet ik niet,' zei Jay. 'Ik probeer te bedenken hoe het hier vroeger was.'

'Nou,' zei Lana. 'Dan zoek je toch een oude plattegrond op? Ik ga naar school, hoor.'

Jay liep een beetje verdwaasd achter haar aan. Dan zoek je toch een oude plattegrond… Dat hij daar zelf niet op was gekomen.

Na de pauze hadden ze keuzewerk. Jay zat als eerste achter de internet-pc.

Zijn vader had in archieven naar oude verhalen over de wijk gezocht. Wat was internet anders dan een reusachtig archief? Via kennisnet kwam hij niet ver, maar het gemeentearchief bleek zijn eigen webstek te hebben, boordevol schilderijen, foto's, kaarten en plattegronden. Hij printte een plattegrond van 1653 uit en eentje van nu.

Er waren tekeningen van de Moordenaarssteeg in 1679, er was een schets van het Heksenwater, een sloot die later verbreed was tot de Vrachtvaart, nu de Gedempte Vrachtvaart.

Hij zocht 'Heksenwater' op en ontdekte dat er in de sloot waterproeven waren gedaan om heksen te ontmaskeren. Heksen konden niet verdrinken, geloofden ze langgeleden, dus iemand die in het water bleef drijven, was een heks. Bleef iemand niet drijven, dan was ze geen heks en verdronk ze gewoon.

In gedachten stond Jay even op de stoep van de Gedempte Vrachtvaart. Hoeveel vrouwen waren hier geboeid in het water gegooid? Heksen, dienaressen van het kwaad, aanbidders van de duivel... Jay had genoeg griezelboeken gelezen om iets van de duivel en het kwaad af te weten.

De duivel was een engel die door God de hemel uitgetrapt was wegens jaloezie en nu in de hel zat en daar de zielen van mensen zachtjes roosterde. Een figuur met bokkenpoten en een staart die altijd op zoek was naar meer slachtoffers. Wilde je héél graag iets hebben, dan kon je naar de duivel gaan. Die gaf je wat je wilde: veel geld, roem, talent, een zaak die geweldig liep, het meisje op wie je smoorverliefd was. Maar daarvoor in de plaats vroeg de duivel je ziel. En jouw geluk en succes veroorzaakten heel wat narigheid bij anderen.

Jay schudde zijn hoofd. Dat de mensen dat soort dingen vroeger echt geloofden... dat ze echt in heksen geloofden en in duivelaanbidders... Gelukkig had je tegenwoordig de wetenschap en hoefde je niet meer bang te zijn voor onverklaarbare gebeurtenissen. Alles kon uitgelegd worden.

Terwijl hij doorklikte langs tekeningen, etsen en schetsen, vond hij een plaatje van de bank van lening. De woorden van de gebroeders Gerber schoten hem te binnen. Hij bekeek het plaatje aandachtig. De bank van lening, ofwel het huis van Lombarden, ook wel lommerd genoemd, stond in de Lombardensteeg. Het was een huis als een fort. Somber, donker, geheimzinnig.

Toen hij als zoekterm Lombardensteeg intikte, kwam het antwoord meteen binnen. De bank van lening, ofwel de lommerd, was een soort ruilwinkel. Zat je in geldnood, dan bracht je daar je gouden ring of je dure bontjas. Je kreeg er een beetje geld voor. Wilde je later je ring of bontjas terug, dan betaalde je er minstens twee keer meer voor dan je gekregen had.

Verder zoeken kon niet. Zijn tijd op het net was voorbij. Toch had hij het gevoel dat hij een spoor gevonden had, een toegangsdeurtje tot het merkwaardige geheim van de studio en zijn vader. Toen hij de uitgeprinte oude stadskaart naast de huidige plattegrond van de wijk legde, wilde hij niet meteen geloven wat hij zag. Waar ooit de Lombardensteeg was geweest, met de bank van lening, bevond zich nu het doodlopende steegje naar de studio. En de studio lag tegen de lommerd aan. De twee gebouwen stonden rug aan rug.

Om twaalf uur, op weg naar huis, bekeek Jay de wijk met andere ogen. Geen voormalige bedrijventerreinen, geen loodsen, opslag- en overslaghangars, nee, smalle straatjes, oude huizen en verborgen pleintjes, binnenplaatsen en steegjes. Heksenwater, Dodenakker, Moordenaarssteeg... Wat een vreemd toeval dat de studio op de plek van de lommerd stond...

De gebroeders Gerber zaten niet op de bank.

Toen ze hun brood op hadden, nam Jay Lana mee naar zijn kamer, liet haar de twee kaarten zien en vertelde wat hij bedacht had.

'Wat hebben we daar nou aan?' zei Lana 'Het is toch allemaal allang weg?'

Jay keek weer naar de twee kaarten. 'Alle oude huizen zijn gesloopt, maar de straten liggen er nog. Ze heten anders, maar ze zijn niet weg. Niet echt. Kijk, wij wonen in de Industriestraat. Vroeger heette die het Lichtmispad. Hier heeft ooit een kerk gestaan…'

'O, je bedoelt dat de straten en de huizen een soort spoken zijn,' zei Lana. 'Ik geloof niet in spoken. Zullen we vanmiddag nog naar de studio gaan om die liedjes te horen die Paul heeft teruggevonden?'

'Als hij ze wil afspelen… Als wij ze mogen horen…'

'Tuurlijk wel. Dat heeft hij ons toch zelf beloofd?'

Jay en Lana stonden om kwart voor vier voor de studio. De ketting was weer om de ijzeren deurposten gewikkeld en er hing een stuk papier op de deur. NIET BETREDEN. INSTORTINGSGEVAAR stond er met vette, zwarte letters.

Het zag er zo definitief uit, alsof ze nooit meer naar binnen konden. Ze hadden allebei het gevoel bestolen te zijn. Opeens leek alles wat er gebeurd was niet meer van belang. De gebroeders Gerber, Paul, hun vader, de jongen met zijn gitaar… Als ze het grijze gebouw niet meer in konden, was het avontuur afgelopen.

Ze bekeken de studio. Waar lag het instortingsgevaar?

49

Wie had opeens besloten dat je niet meer naar binnen mocht?

'Hé, Lana,' zei Jay. 'Ruik jij eens.'

'Waaraan?'

'Gewoon. Snuif es.'

Lana stak haar neus in de lucht en ademde diep in.

'Getver. Rotte eieren.'

Wat eerst een vleugje was geweest, meegevoerd op de wind, spoelde opeens als een onzichtbare golf over hen heen. Rotte eieren, alsof een hele legbatterij bedorven was geraakt. Met de stank leken ook inktzwarte wolken over hen heen te drijven.

'Jay! Lana!' riep een stem.

6

Meester Bluth, advocaat

Hun vader holde op hen af. Hij sloeg zijn armen om Jay en Lana heen en drukte hen bijna fijn. Niet omdat hij zo blij was ze te zien, maar uit bezorgdheid, alsof ze zojuist aan een vreselijk ongeluk waren ontsnapt. Daarom is hij zo blij om ons te zien, dacht Jay.

Hij maakte zich los uit de omarming. Lana, die ook niet wist wat er nou opeens aan de hand was, keek verbaasd van haar vader naar haar broer.

Voetstappen, zachte plofjes, klonken in de steeg. Ze keken op. Paul van het geluid kwam aanlopen.

Hij keek verbaasd naar Jay, Lana en hun vader en wilde iets zeggen toen zijn aandacht werd getrokken door de mededeling op de deur. Hij graaide in zijn jaszak en haalde een sleutelbos te voorschijn.

Jays vader zei bezorgd: 'Gaat u toch naar binnen? Ondanks dat biljet?'

Paul knikte vastberaden. 'Ik laat me niet wegjagen en bovendien heb ik bijna alles wat ik zocht, dan trek ik die deur voorgoed achter me dicht en kom ik hier nooit meer terug. Ze mogen hier alles platgooien wat mij betreft.'

'Hebt u alle liedjes gevonden?' vroeg Jay.

Paul knikte. 'Nou ja, op twee na.'

'De liedjes?' herhaalde Jays vader met een vreemde klank in zijn stem. 'Welke ontbreken nog?'

Jay, Lana en Paul keken hem verbaasd aan.

'Waarom wilt u dat weten?' vroeg Paul.

'Kunnen we binnen de band beluisteren? Ik bedoel, ik ben toch wel heel benieuwd of hij er nog is.'

Paul wierp hun vader een diepe, onderzoekende blik toe.

'Oké dan,' zei hij toen.

Lana en Jay schudden tegelijkertijd vastberaden hun hoofd.

'Wij gaan ook mee naar binnen,' zei Jay. 'We mogen meeluisteren, heeft Paul beloofd.'

Zijn vader keek hem even aan alsof hij boos was, maar niets durfde te zeggen.

Paul maakte het hangslot los en wikkelde de ketting af.

Toen de deuren opengingen, zakte het gebouw niet in elkaar. In het halletje leek alles veilig en in de controleruimte was ook niets te merken van instortingsgevaar.

Stoffig was het er nog steeds, grijs en bedompt en met een vreemde treurigheid, alsof de studio de muziek miste die er vroeger werd gemaakt.

Paul deed wat licht aan, ouderwetse spotjes aan het plafond, die alles in een soort namaak kaarslicht zetten. Gezellig, maar net niet echt.

'Nou, daar zijn we dus weer,' zei hij. 'En u bent?'

'Mijn vader,' zei Lana.

'Dat verklaart een hoop,' zei Paul met een glimlach. 'Ik kon u de vorige keer niet goed plaatsen.'

Het was geen prettige glimlach, zag Lana, het was de glimlach van een wolf die een schaap nadoet. Wat was er toch met Paul? Waarom veranderde hij steeds van stemming, waarom leek hij iedere keer iemand anders?

'Welke liedjes moet u nog hebben?' vroeg Jay.

'Het ene liedje dat ik zoek is een carnavalsnummer en het andere is rapachtig. Nu heel gewoon, maar toen we het opnamen was het zijn tijd ver vooruit.'

Jays vader zei iets, nog steeds geluidloos, maar Jay dacht dat zijn mond het woord 'Rookrap' vormde.

Geen idee wat een rookrap was, maar het bewees dat zijn vader meer wist dan hij toegaf en Jay was vastbesloten alles boven water te krijgen.

'Zal ik jullie iets laten horen?' vroeg Paul.

'Nee, nee!' De stem van Jays vader kwam raspend naar buiten.

Er werd op de deur geklopt.

Ze keken allevier om en zagen de deur op een kier gaan, tergend langzaam. Een stem als een tandartsboor, snerpend en doordringend, zei: 'Goedemiddag. U bent allemaal in overtreding in dit gebouw. U hebt de verzegeling moedwillig verbroken. Mijn opdrachtgevers zullen daar niet blij mee zijn. Mijn naam is Bluth, advocaat.'

In de kier van de deur zagen ze een mager, lijkbleek gezicht met een scherpe neus en smalle, opvallend donkere lippen.

De stem van Jays vader was nog nooit zo schor geweest; hij raspte als een kapotte startmotor, toch klonk hij opgewekt, uitdagend bijna. 'Meneer Bluth, we zijn hier alleen om Paul even te helpen met het ordenen van een paar banden.'

'Daar hebt u het recht niet toe. Alles in deze studio is eigendom van de platenfirma. Het is verboden zelfs maar rond te kíjken in dit gebouw. Als advocaat heb ik van mijn opdrachtgevers alle bevoegdheden gekregen en ik zeg u nogmaals: dit is verboden terrein.'

'Ook voor Paul? Hij werkt toch voor de platenmaatschappij?' vroeg Jays vader.

'Ook voor de geluidstechnicus. Alles is eigendom van de maatschappij.'

'We willen alleen maar naar de muziek luisteren,' zei Jay binnensmonds. Blijkbaar had de man aan de andere kant van de deur prima oren.

'Nee! Er mag niet worden geluisterd naar het eigendom van de platenmaatschappij. U dient het pand nu te verlaten. Wij waarschuwen slechts één keer. Als u over vijftien minuten nog binnen bent, zullen we maatregelen treffen. Of er moet getekend worden door de daartoe aangewezen persoon.'

Een langwerpige envelop dwarrelde door de kier.

De deur werd dichtgetrokken en ze waren weer alleen.

Een onaangename lucht bleef achter: de stank van rotte eieren.

Paul, die blijkbaar niets rook, pakte de envelop op en

scheurde hem open. Hij liet zijn ogen over de brief gaan.

'Een kwitantie van de lommerd voor het lenen van een gitaar en het talent van Herman Gerber.'

Jay zag dat zijn vader van kleur verschoot. Kwam dat door het noemen van de naam Herman Gerber? Kon dat iemand anders zijn dan de broer van Mannes en Graddus?

'En eh…' vroeg zijn vader, 'wie heeft die kwitanties dan getekend?'

'Degene die geleend heeft. Maar die is hier niet. Toch?' Paul grijnsde en keek de vader van Jay en Lana opnieuw met een vreemde blik aan. 'Dan zal ik heel snel naar de laatste twee liedjes moeten zoeken.'

Lana had de hele tijd aandachtig zwijgend naar de deur gekeken. 'Hij is geen advocaat,' zei ze droogjes.

Haar vader draaide zich met een ruk naar haar om. 'Waarom zeg je dat?'

Lana schokschouderde. 'Weet ik niet, het is een gevoel. Ik vóel iets. Elke keer als we hier binnen zijn. En daarnet was het nog veel sterker.'

Paul was naar een kast gelopen. Hij haalde er een armvol banden uit. 'Ze moeten hiertussen zitten. Het zijn alle nummers van 650 tot 670.'

Jay zag dat zijn vader iets wilde zeggen, maar zich inhield.

'Wat voel je dan?' vroeg hij toen aan Lana.

'Hoe weet ik dat nou? Het is een gevoel, je moet het voelen.'

Niet over praten, had de zanger uit haar droom gezegd. Lana herinnerde het zich alsof ze echt in dat theater had gezeten. Ze had al de hele dag het idee dat ze het gezicht van de zanger zou kunnen herkennen als ze maar goed keek. Nu had ze bijna haar mond voorbijgepraat omdat die zogenaamde advocaat van daarnet, dezelfde stem had als de zanger uit haar droom.

'Laten we gaan,' zei Paul, 'voordat er een paar agenten op de stoep staan.' Hij keek even zoekend rond.

'O, voor ik het vergeet, die band op de recorder moet ook mee.'

Hij liep naar de enorme recorder en drukte op terugspoelen. Met een snel hoger wordend gezoem draaiden de twee metalen spoelen linksom, tot de rechterspoel leeg was en het laatste stukje van de band tegen de spoel flapperde. Paul nam de band van de recorder.

Schuldig, alsof ze dieven waren, liepen ze de controlekamer uit. Bijna op hun tenen gingen ze de hal door, de zware deuren uit, de steeg in, waar het vreemd donker was. De zon stond aan een heldere hemel, maar de steeg was in diepe schaduwen gehuld.

'Laten we snel gaan,' zei Jays en Lana's vader.

'Nou hebben we nog niks gehoord van de muziek,' zei Lana verongelijkt.

Paul was al met grote stappen naar het einde van de steeg gelopen. Daar bleef hij staan als een uitkijkpost.

Toen Jay, Lana en hun vader bij hem waren, zei hij: 'Geef me even de tijd. Ik moet de banden overzetten.

Daar heb ik een recorder met speciale koppen voor nodig. Deze studiobanden zijn net schuurpaper. Die kun je niet op iedere bandrecorder afspelen.'

'Ik heb er een.'

Jay en Lana keken hun vader stomverbaasd aan.

'Wat hebt u?' vroeg Paul.

'Een recorder om studiobanden op af te spelen. Hij staat op mijn kantoor. We kunnen er nu heen, als je wilt.'

'Met z'n allen?' Jay was nog nooit op zijn vaders kantoor geweest. Hij wist niet eens dat zijn vader een eigen kantoor had.

'Met z'n allen, ja. Jullie mogen mee.' Zijn vaders stem was rauw als een biefstuk, af en toe viel hij zelfs even weg. 'De auto staat hier.'

Amper tien minuten later waren ze in een gebouw dat er vanbuiten vrolijk uitzag, maar binnen saai was als een gevangenis.

'Mijn kantoor is op de tweede verdieping,' zei hun vader.

7

Beneden in het kanaal

Het kantoor van Jays en Lana's vader was een grote ruimte met veel ramen, die saai zou zijn geweest als er niet overal bijzondere spullen stonden. Een enorme bandrecorder, niet over het hoofd te zien, maar ook muziekinstrumenten, foto's uit de film *Let it be*, kleine frutsels in boekenkasten, heel veel boeken en allerlei dingen waar ze geen tijd voor hadden. Het was te veel om allemaal in één keer te zien. Het kantoor had het meeste weg van een rommelige gezellige jongenskamer. Wat deed hun vader hier?

Op een bureau voor het raam stond geen computer, zoals op bureaus in normale kantoren. Er lag een enorme berg papier, vergeeld, verkreukt, alsof er een prullenbak was omgekeerd. Jays aandacht werd er direct door getrokken, maar Lana keek naar heel iets anders: een houten ladekast, met drie rijen smalle laatjes; twaalf onder elkaar, allemaal met een messing handgreep en een etiket. In de gauwigheid las Lana: A-Z, DIVERS, KLEUR, INGEKLEURD, ZWART-WIT. Ze trok de la DIVERS' open. Er lagen fotoalbums in.

Voordat ze goed kon kijken, stond haar vader al naast haar. 'Ho ho, dat is werk, mop, daar moet je met je vingers van afblijven.'

Hij pakte haar hand en trok haar mee naar de andere hoek van het kantoor, waar de bandrecorder stond. Paul bekeek het apparaat alsof hij een schat uit het verleden had gevonden.

'Een Sennheiser, pfft, dat is een mooie. Maar ik weet niet of we de banden op deze recorder kunnen afspelen. Schuurpapier, weet u wel? De kans bestaat dat de koppen helemaal kaalgeschuurd zijn als we de banden afspelen.'

'Er zitten speciale koppen op,' zei de vader van Jay en Lana. 'Daarom heb ik juist deze recorder gekocht, op een veiling. En er staat een md-recorder op aangesloten, dus we kunnen direct een kopie van de opnamen maken.

'Oké,' zei Paul. Hij legde de band op de recorder, leidde hem langs de koppen en zette het uiteinde vast in een lege spoel.

'Dit is band nummer 664. Volgens mij is het…'

Hij kon zijn zin niet afmaken; een denderend carnavalsorkest kwam uit de boxen. Jay en Lana luisterden en keken elkaar aan, want de stem die het liedje zong herkenden ze.

Zonder het te zeggen, wisten ze het van elkaar: ze hoorden hun vader zingen. Maar die kon helemaal niet zingen, die was zo schor als een kip, zo muzikaal als een kikker, zo feestvierderig als een theekopje. Als hun vader had kunnen zingen, was dit zijn liedje geweest, met zijn stem.

Toen ze over hun eerste verbazing heen waren, hoorden ze dat het stampende carnavalsnummer de vreemdste tekst had die ze ooit hadden gehoord. Geen paard in de gang, geen bloemetjesgordijn of waar carnavalskrakers ook over mochten gaan. Het refrein was, juist door de vrolijke deun, zo griezelig: 'We drijven allemaal beneden in het kanaal.'

Lana zag het voor zich. Diep, donker koud water, een kaarsrecht kanaal dat als een mes door het donkere land sneed. En in dat water vage gedaanten, diep onder het oppervlak. Vreemd oplichtende ogen keken naar boven, monden met een hongerige glimlach, natte haren wapperend. We drijven allemaal beneden in het kanaal, beneden in het kanaal, daar drijven we allemaal.

Lana huiverde.

Jay keek zijn vader zo strak aan dat het leek of hij ín hem wilde kruipen om te zien wat hij dacht.

Ook hij zag het kanaal uit het liedje voor zich, maar hij dacht aan hun weg naar school, die langs de Gedempte Vrachtvaart ging. Hij voelde zich alsof hij werd meegenomen naar het verleden, toen het kanaal er nog lag, drukbevaren en gevaarlijk. Had zijn vader niet zelf gezegd dat er mensen in waren verdronken?

Terwijl de laatste maten van het liedje klonken, probeerde hij zijn vader met andere ogen te bekijken. Deze man in een keurig pak, met een stem als een roestige scharnier, kon hij iets te maken hebben met de jongen en zijn gitaar? Nee, dacht Jay. Nee, ik kan het me niet voorstellen.

Toen Paul de band stopzette, was iedereen stil.

'Carnaval zoals het nog nooit gevierd is,' zei Paul met een grijns. Hij plukte aan zijn paardenstaartje. 'Ik weet nog dat we het opnamen. Willen jullie iets anders horen? Ik heb geen idee meer wat het nummer op deze tape is...' Zonder op antwoord te wachten legde hij een nieuwe band op de recorder, leidde hem langs de afspeelkoppen en schakelde de machine in.

Ze hoorden draaiorgelmuziek. Paul, met een enorme grijns op zijn gezicht, zuchtte: 'Het is er nog, dit nummer! Man, je weet niet hoeveel moeite we gedaan hebben om het geluid van een draaiorgel te krijgen. Moet je je voorstellen: een echt draaiorgel was niet te krijgen en synthesizers waren nog behoorlijk duur in die tijd. Tegenwoordig, op je pc, klik je op draaiorgel en dan heb je ook een draaiorgel. Zo simpel was het in de tijd van deze opnamen niet. Dagen heb ik zitten proberen het goede geluid te krijgen.'

'Korg,' zei de vader van Jay en Lana.

'Ja,' zei Paul. 'Korg. Helemaal correct. Dat was een van de meest gebruikte synthesizers destijds.'

'Wat is een synthesizer?' vroeg Lana.

'Luister maar even,' zei Paul. 'Je denkt dat je in dit liedje een draaiorgel hoort, toch?'

Ze luisterden naar het droevige verhaal van een orgelman die niet meer de straat op kan met zijn orgel.

'Dit was dus geen draaiorgel,' zei Paul toen de muziek wegstierf. Met een klik schakelde hij de recorder uit.

'Dit was geen draaiorgel. Een synthesizer is een soort keyboard, een toetsenbord waarmee je bijna alle instrumenten kunt nadoen. Het is een muziekcomputer. Tegenwoordig zijn die dingen zo simpel dat iedereen erop kan spelen. Je koopt ze gewoon als computerprogramma. Maar vroeger was het een hele klus om het instrument te vinden dat je nodig had.'

'Jonathan,' zei hun vader. 'Dit liedje gaat over het orgel van Jonathan. "De Bloemenstad", heette het. Ik weet het nog precies.' Er lag een vreemde klank in zijn stem en hij leek helemaal niet meer hun vader. Hij was opeens een groot kind in een net pak, alsof een herinnering aan langgeleden hem jonger maakte.

'Kathleen,' zei hij, schor als een balkende ezel. 'Kathleens oorbellen…'

'Wat was er dan met die oorbellen?' vroeg Lana.

'Kathleens oorbellen lagen verstopt in de achterbank van de auto die mijn vader en ik naar de sloop brachten. Ik heb nog een heel stiekeme tocht gemaakt om ze terug te vinden. De beheerder van de sloop was ooit orgelman geweest, maar met draaiorgels kon je je brood niet meer verdienen, dus werkte hij als bewaker op een autosloop. Treurig, eigenlijk, als je erover denkt, dat er bijna nooit meer draaiorgels op straat zijn. Er komen bij ons toch nooit draaiorgels?'

Lana en Jay schudden hun hoofd. Er was nog nooit een draaiorgel in de straat geweest.

'En heb je die oorbellen teruggevonden?' vroeg Lana.

'Ja, uiteindelijk wel. Maar ik heb ze nooit meer aan haar kunnen geven. Het kanaal, de Gedempte Vrachtvaart, had Kathleen toen al te grazen…'

8

Ik wil jou

'Ik herinner me die orgelman,' zei Paul. 'En dat ongeluk ook. Tragisch.'

'Ja,' zei hun vader.

Jay durfde nu de volgende vraag wel te stellen. 'En dat liedje over dat kanaal? Dat gaat over de Gedempte Vrachtvaart, hè? Dat gaat ook over hier.'

Zijn vader knikte.

'En dit dan?' vroeg Paul. Hij legde een nieuwe band op de recorder en zette hem aan.

'Dit nummer heet "Lucifer". Het gaat over het oproepen van de duivel.'

"Lucifer" was een simpel liedje over een jongetje dat hoopt het eindelijk eens makkelijk te krijgen. Niet meer gepest worden, zakgeld wanneer je erom vraagt en altijd goede cijfers. En hoe zorg je daarvoor? Je roept de duivel op. In griezelfilms niks bijzonders, in een liedje misschien ook niet. Het bijzondere was dat Jay de oude foto's voor zich zag, het huis in de Lombardensteeg, en dat deed hem weer aan zijn vader denken. En niet alleen vanwege de stem van de zanger die zo op die van zijn vader leek.

Toen het liedje was afgelopen, bleef iedereen stil. Jay keek naar zijn vader. Met een frons op zijn voorhoofd, zijn handen op zijn knieën, keek hij voor zich uit.

'Is dit ook echt gebeurd?' vroeg Jay.

Zijn vader antwoordde niet.

'Pap?'

Zijn vader zuchtte, schudde zijn hoofd, wreef over zijn knieën, ontweek hun blik en zei toen: 'Nee, niet zoals in dat liedje.'

Paul, met alweer een nieuwe spoel in zijn handen, zei: 'Wat ik mij afvraag, hoe komt het dat u zoveel weet over deze liedjes?'

'Ik was hier vaak. Vroeger, toen ik twaalf was. Ik speelde in de lege fabrieken.'

'Ja?' zei Paul, langzaam, afwachtend, alsof hij meer wilde horen. 'Kende jij de jongen met zijn gitaar?' Er kwam een enthousiaste triller in zijn stem. 'Weet je waar hij gebleven is? Misschien kan ik contact met hem opnemen en… Ik wil er in elk geval achter komen waarom hij van de ene op de andere dag wegbleef, alsof hij van de aardbodem was verdwenen. En als hij de papieren tekent, kunnen we *Zuidklauw* alsnog uitbrengen, dan verloopt alles toch nog volgens de plannen, al is het ruim twintig jaar te laat.'

De vader van Jay en Lana zuchtte. 'Ja,' zei hij, 'dat weet ik allemaal.'

'Dus dat rare liedje over…' Paul verschoof de dozen met banden. 'Ja hier heb ik het, over een… nou ja, moet je maar luisteren. Het heet "Je glimlach".'

Zachte pianomuziek rolde door het kantoor. Iedereen luisterde in stilte.

Jay zag dat zijn vader zijn lippen stijf op elkaar geknepen hield, dat er zweet op zijn voorhoofd stond. Volgens mij, dacht hij, zou papa zijn oren dichtstoppen als hij kon. Maar dan verraadt hij een of ander geheim. Lana luisterde en keek, maar niet naar haar vader. Het leek of de muziek haar een droom in lokte, een langzame droom in zwart-wit. Ze zag haar vader in haar droom, dwalend op een uitgestrekt terrein vol zand, modder, keien en brokken steen. Langs het terrein lag een sloot, of nee, een kanaal. Bandensporen leidden er met een scherpe, strakke bocht naartoe. Er was een auto het water in gereden, in volle vaart, recht op het kanaal af. Van het liedje hoorde ze niets, ze zag het des te beter.

Toen de laatste tonen waren weggestorven en de echte wereld weer voor haar verscheen, zei ze: 'Er zit een zielig verhaal achter. Een heel zielig verhaal. Wil je het vertellen, pap?'

Hun vader schudde zijn hoofd. 'Ik ken niet alle verhalen.'

'Prachtig liedje, toch?' zei Paul. 'Voor een jongen van twaalf.'

Ze knikten alledrie, maar dachten iets anders. Jay vond het liedje eng, Lana had geknikt vanwege haar droom – en hun vader… Wie wist wat er in zijn hoofd omging?

'Geen prachtig liedje,' zei hij met een trilling in zijn stem. 'Een vreselijk liedje, als je weet wat eraan voorafgegaan is.' Hij schraapte zijn keel.

Er komt weer een verhaal, dacht Jay. Waarom heeft pap dit allemaal nooit eerder verteld? Jay had altijd gedacht dat hij veel wist over de buurt waar ze woonden, nu had hij het idee dat zijn vader juist de belangrijke dingen had verzwegen. De echte geschiedenis ging niet over dieven en moordenaars van langgeleden, maar over wat er nu gebeurde, over gisteren en vandaag. Al die gebeurtenissen hadden hun wortels in het verleden, maar ze kwamen nu tot bloei. Nu waren ze erbij dat de vruchten rijp werden.

Jay was verbaasd over zijn eigen gedachten. Daar kun je een liedje over schrijven, bedacht hij. Hoe oude wortels nieuwe vruchten geven. Ergens in zijn hoofd begon zelfs een melodietje te klinken. Hij schoof de gedachten opzij. Alles wat zijn vader te vertellen had was belangrijk en kon een stukje van de puzzel zijn.

'Dat liedje "Je glimlach",' zei zijn vader, 'daar begon het mee. Eerst was er een auto-ongeluk. Kathleen, mijn beste vriendinnetje, kreeg een auto-ongeluk. Ik wilde iets voor haar doen ter herinnering. Een gedicht voor haar schrijven, of een tekening maken. Het werd een liedje.'

Een liedje? dacht Jay. Je bent zo muzikaal als een bruine boterham. Natuurlijk zei hij niets. Bovendien was Lana hem voor.

'Ze is het water in gereden met de auto,' zei ze. Dat heb ik... gedroomd... of gezien... of... Nou ja, in elk geval, ze zijn het kanaal in gereden. Dat kanaal uit het carnavalsliedje.'

Haar vader knikte. 'De Vrachtvaart. Die was toen nog maar half gedempt. Als Kathleens vader geluk had gehad, was de auto gewoon het zand in gereden. Maar nee, geluk had hij niet. Kathleen ook niet. Ze reden het water in en waren verdronken voordat er hulp arriveerde. Het industrieterrein stond al haast leeg. Er waren bijna geen bedrijven meer. Bovendien was het avond. Wat hadden ze hier 's avonds te doen? Ik weet het niet en ik zal er ook nooit achter komen. Maar in elk geval, er moest iets voor haar gedaan worden, vond ik. Tegenwoordig kun je een monumentje in de berm zetten als iemand is overleden bij een ongeluk. Dat bestond vroeger niet. Ik wilde mijn eigen monument; dat liedje.'

Paul stond met een band in zijn hand die langzaam, als een stiekeme slang, uit de spoel kronkelde. Hij keek Jay en Lana's vader aan met een gezicht dat veranderde van verbazing in herkenning.

'Ik wíst het,' zei hij. 'Toen ik je zag wist ik het al. Jij bent… jij bent de jongen met de gitaar. Jij bent Rick. Rick van de muziek. Jij bent de Zuidklauw.'

Jay en Lana keken hun vader aan. Hij boog zijn hoofd, liet zijn schouders zakken en staarde naar de grond.

'Toen ik hoorde dat de kinderen de studio ontdekt hadden, wist ik dat dit moment zou komen,' zei hij.

'Dus jij bent…' zei Paul. 'Jij bent het echt!' De band gleed nog steeds van de spoel en was inmiddels een slordige hoop rood-zwart lint op de vloer.

'Welk liedje is dat?' vroeg Lana.

Paul keek naar de spoel, keek naar zijn voeten en zakte geschrokken door zijn knieën. 'Een slaapliedje voor een vampier,' zei hij. 'Maar jullie vader kan je daar veel meer over vertellen.'

'Zal ik maar beginnen bij het begin?' zei hun vader. 'Nu heb ik er de kans nog voor. Misschien staat er dadelijk iemand voor de deur...'

'Ja, met een wettelijk bevel om de banden terug te geven,' zei Paul. 'We moeten kopieën maken. Maar ik moet je zeggen, ik begrijp er geen snars van. Helemaal niets. Waarom je toen, tijdens de opnamen, zomaar weg was. Je kwam uit het niets en je verdween in het niets. Ik geloof dat het tijd is om eens iets te vertellen over wat er allemaal aan de hand was. En tekenen. Je moet tekenen, man!'

De vader van Jay en Lana kwam overeind, liep naar de kast met de smalle laatjes en trok er een open. Hij haalde er iets uit dat het meest op een medicijnflesje leek. Lana kon het niet goed zien, want het verdween helemaal in zijn vuist.

'Eerst even iets doen. Voorzorgsmaatregelen.' Hij liep naar buiten, was een paar tellen later weer terug en borg wat hij uit de la had gehaald weer op.

'Zo, dat is geregeld.'

'Wat heb je gedaan, pap?' vroeg Jay.

'Dat leg ik later wel uit. Je zou me nu denk ik toch niet geloven.'

Hij ging achter zijn bureau zitten, legde zijn benen op het blad en zuchtte.

'Goed. Ik was twaalf en wilde popzanger worden.'

'Jij?' giechelde Lana. 'Zelfs als je niet zingt, is je stem vals.'

Haar vader glimlachte even wrang. 'Tja, je gelooft niet dat iemand met zo'n stem als de mijne gitaar wilde spelen en liedjes wilde zingen.'

'Wou je ook gitaar spelen?' vroeg Jay. 'Met jouw zere vingers?'

Zijn vader knikte. 'Ja. Want toen ik twaalf was, was dat heel anders.'

9

De bank van lening

De vader van Jay en Lana vertelde zijn verhaal.

'Ik stond in de Lombardensteeg, die was er toen nog. Een vreemd, somber straatje tussen een paar bedrijfsgebouwen. Het leek of de zon er nooit scheen. Er groeiden grote bleke schimmels tegen de muren, de grond was er altijd vochtig, met onkruid dat tegen de verdrukking in toch nog blaadjes kreeg en vreemde bloemetjes.

Het hele industriegebied was natuurlijk een plek waar je niet hoorde te komen, daarom waren we er zo graag; het was spannend. De Lombardensteeg was meer dan spannend, die was eng.

Ted, een jongen uit mijn klas, had het me verteld: in de Lombardensteeg was een winkel waar je heel goedkoop geweldige spullen kon kopen. Ted had er een grammofoon gekocht en een stereoradio. Nu kon hij singletjes en ep-tjes in stereo draaien! Jullie snappen dat waarschijnlijk niet meer, maar in die tijd was dat het meest fantastische wat je kon bedenken. Stereoplaatjes draaien!'

Paul grinnikte. 'Nou en of ik dat nog weet.' Hij wees

naar een boekenkast langs de wand. 'Kijk, daar staat zo'n grammofoon.'

Jay en Lana keken naar een groezelig geel en groen apparaat, een kastje met bovenop een schijf, net als in een magnetron en een scharnierende buis. Ouderwets. Hopeloos ouderwets.

Hun vader vertelde verder.

'Ted zei dat hij een gitaar had gezien in die winkel. En daar ging ik op af.

Wat Ted een winkel had genoemd, was geen winkel. Het was geen uitdragerij, geen opslagplaats, het was een wachtkamer waar dingen hoopten dat ze eindelijk werden opgehaald. Aan de laag stof te zien, wachtten de meeste spullen al heel lang.

Ik voelde me al ongemakkelijk toen ik van buiten naar binnen keek en dat werd bij het aanraken van de deurknop nog veel erger. Op een smal koperen bord naast de deur stond: BANK VAN LENING, DIRECTEUR L. LUTHER.

Ik duwde de deur open en kwam binnen in een wereld die één en al vijandigheid was. Ik rook het, voelde het, zag het overal, al wist ik niet waar ik kijken moest. De ruimte was afgeladen met alles wat je maar bedenken kon. Alles wat er ooit gemaakt was op de wereld, leek hier te liggen, te staan of te hangen.

Ergens in de verte stond een hoog houten schot met een loket waar gaas voor was gespannen. Blijkbaar was dit de toonbank.

Naar dat loket gaan durfde ik nog niet. Wat had Ted

ook alweer gezegd? Meteen als je binnenkomt rechts. Ik keek opzij. Tussen een merkwaardige verzameling poppen hing een gitaar. Een elektrische, zo een die je popgroepen op tv zag gebruiken. Ik las het merk op de kop van de hals: Egmond.

Egmond! Dat waren de goedkoopste gitaren die je kon krijgen, dat wist iedereen. Als je helemaal geen geld had, kon je nog altijd een Egmond-gitaar kopen. Zou Ted de enige zijn die niet wist dat Egmond-gitaren van geperst karton waren?

Goed, het was een gitaar voor linkshandigen, maar dan nog. Ik wilde geen Egmond, ik wilde een echte gitaar. Klaar om weer naar buiten te lopen, keek ik nog één keer rond. De poppen keken met woedende, vertrokken koppen terug. Hun ogen leken te branden van venijn.

"Ja! Zeg het maar!" Het was geen vraag, geen uitnodiging, het was een bevel. Er stond iemand achter het met gaas bespannen loket.

De stem trok me naar zich toe. Ik moest wel verder de winkel in. "Kom je inbrengen, terugkopen of kopen?"

De man achter het loket was verborgen achter een schaduw. Ik weet dat het vreemd klinkt, maar zo zag het eruit: een schaduw die voor zijn gezicht hing.

"Ik, eh... ik dacht een gitaar," haspelde ik. "Maar ik was vergist, er hing een verkeerde, die ik niet wil."

De man keek naar me, ik voelde het door de schaduw heen, hij keek naar me met een intense, dwingende blik. Het was een blik die mijn tong eerst verlamde en die me daarna liet zeggen wat ik niet wilde.

"En wat kun je betalen?"

"Ik heb gespaard."

"Pak hem dan maar van de muur. Ik zal het nummertje erbij halen."

Ik wilde geen Egmond-gitaar, zelfs niet als hij heel goedkoop was. Toch liep ik naar de wand waar de poppen hingen. Hun namaakmonden stonden wijdopen in een woedende schreeuw. Ze krijsten geluidloos naar me, ze gilden en brulden toen ik op mijn tenen ging staan, mijn armen strekte en de gitaar van zijn haakje wist te wippen.

Met stijve benen, houterige bewegingen en een tegenzin die me bijna liet overgeven, liep ik terug naar het loket.

De man achter de schaduw had het gaas losgehaakt. Hij stak zijn handen uit en nam de gitaar van me aan. Ik liet hem min of meer uit mijn handen vallen en had geluk dat hij niet op de grond in stukken uit elkaar kletterde.

"Die hangt hier al dertig jaar," zei de man. "Wordt nooit meer opgehaald. Een Gibson."

Ik schudde mijn hoofd. "Het is een Egmond, meneer en die zijn…"

"Het is een Gibson Les Paul. Zegt je dat iets? Prachtinstrument. Speciaal gebouwd voor linkshandigen."

"Het is een Eg…"

De gitaar werd woest teruggeduwd. "Kijk dan, zeur!"

Ik keek. Er stond Gibson op de gitaar. En één ding wist ik: Gibson was een topmerk. Niet te betalen. Een gitaar voor echte muzikanten, voor sterren.

"Wordt niet meer opgehaald," zei de man achter de schaduw nogmaals. "Is te koop of te leen."

"Te leen? Dat wil ik wel," antwoordde mijn stem.

"Kan. Tekenen. Hier. Binnen dertien dagen terugkomen om het koopcontract te ondertekenen."

Er werd me een papiertje toegeschoven. Natuurlijk had ik moeten lezen wat er stond, maar de schaduw viel over het papier en… nou ja, een Gibson-gitaar lenen… Een linkshandige nog wel! Ik tekende. En bijna sneller dan mijn voeten me konden dragen, stond ik weer bij de deur, geluidloos nagegild door de poppen aan de muur. Voordat ik naar buiten kon werd ik teruggeroepen. De stem gebood me en ik kwam.

"Kun je eigenlijk wel gitaar spelen? Kun je zingen en liedjes schrijven?"

Door de schaduw heen dacht ik een rood opgezwollen gezicht te zien, het gezicht van een heel zieke man. Diepe zwarte kringen rond zijn ogen, een mond met donkere lippen en akelig witte tanden.

"Dat weet ik niet," zei ik.

"De mensen laten zoveel achter in de lommerd, jongen," zei de man achter de schaduw. "Ik heb nog wel wat liggen voor je. Was van een muzikant die vond dat hij niet beroemd genoeg was. Kwam hier om roem te krijgen in ruil voor zijn talent. Wordt dus ook niet meer opgehaald. Kopen of te leen?"

"Te leen," zei ik hakkelend.

"Tekenen dan. En binnen dertien dagen komen kopen."
Ik begreep hem niet en dat las hij blijkbaar van mijn gezicht af.

"Gewoon tekenen, dan krijg je het mee. Voor de rest merk je het wel."

"Is hij beroemd geworden," vroeg ik, "die muzikant? En word ik ook beroemd?"

"Laat ik het zo zeggen: talent, daar moet je mee woekeren. En het wil wel eens gebeuren dat je mensen tekortdoet, als je je talent echt wilt gebruiken. Als jij met je talent gitaar speelt in een groot stadion, kan iemand doof worden. Wil jij een beroemde fotograaf worden, dan is het heel naar voor die ene tv-ster die jij stiekem fotografeert terwijl ie staat te wildplassen. Wat voor jou geweldig is, kan voor een ander een ramp zijn. De muzikant van wie je het talent krijgt, wilde wereldberoemd worden. Nou, dat lukte, hoor! En het gaat jou óók lukken, dat weet ik zeker."

Nog steeds snapte ik de man achter de schaduw niet. Toch tekende ik, misschien alleen maar om zo snel ik kon weg te komen. Ik zette mijn handtekening en keek de man achter de schaduw vragend aan.

"Nee, ik hoef je niks meer te geven. Je hebt het al. Je kunt gaan."

Ik ging. Ik vluchtte. Pas toen ik een heel eind verderop was, ging ik op een houten kist zitten, legde de gitaar op mijn schoot en bekeek hem. Het was een prachtig instrument, dat kon je zien zelfs als je geen enkel verstand van muziekinstrumenten had. De lak glom alsof de gitaar net uit de fabriek kwam, de snaren blonken, de elementen glommen, het was een feest om naar te kijken en ik had hem geleend. Geléénd...

Nu nog erop leren spelen. Ik nam de klankkast onder mijn arm en drukte hem tegen mijn buik. Mijn rechterhand klemde ik om de hals. Ik had hem net zo vast als Paul McCartney van de Beatles, want die was ook linkshandig. En dan? Hoe speelde je op een gitaar?

De snaren aanslaan, zoveel wist ik wel. Maar verder?

Ik ging met mijn linkerhand langs de snaren en terwijl ik dat deed voelde ik hoe de vingers van mijn andere hand vier snaren indrukten, allemaal op een andere plek op de hals. Ik sloeg een akkoord aan. Ik maakte muziek.

Zonder te weten wat ik deed, speelde ik een melodie.

Hoe ik het deed, weet ik niet, maar ik kon gitaar spelen. Stomverbaasd luisterde ik naar mezelf. Ieder liedje dat me te binnen schoot, speelde ik moeiteloos en bovendien kon ik de tekst erbij zingen met een stem die klonk als een klok.

Hoe lang ik daar zat en hoeveel liedjes ik speelde, weet ik niet meer. Het leken uren en seconden tegelijk.

Uiteindelijk begonnen mijn vingers zeer te doen en werd mijn keel een beetje rauw. Ik had natuurlijk iets gedaan wat ik nooit eerder gedaan had, mijn vingers en mijn stembanden waren daar nog helemaal niet aan gewend.

Ik ging naar huis, vol van wat ik kon op mijn gitaar. En helemaal zonder te beseffen wat ik gedaan had, wat ik ondertekend had in Luthers bank van lening.'

10

Vast in het kantoor

Ze hadden alledrie in stilte geluisterd, maar Paul was op de een of andere manier niet zo onder de indruk.

'En toen?' vroeg Lana.

Haar vader leek verdwenen in zijn eigen verhaal, teruggezogen naar het verleden. Het duurde even voordat hij er weer bij was. 'Wat vroeg je?'

'Ik zei: En toen?'

'Hoe het verder ging, weten we,' zei Paul. Hij trok aan zijn paardenstaartje. 'Je bent naar de studio gekomen met je liedjes. Tophits waren het! Ik hoorde het direct. Het kostte me geen enkele moeite om mijn bazen over te halen. Jullie vader mocht een plaat gaan maken. Hij zou wereldberoemd worden! Alles ging geweldig, perfecte opnamen hebben we gemaakt, tot... Nou ja, tot je niet meer kwam! Het was nota bene je laatste liedje.'

'Nee, en daar had ik een heel goede reden voor.'

Er werd op de deur geklopt. Jay en Lana keken elkaar geschrokken aan. Wachtte er gevaar aan de andere kant? De grote boze wolf in vermomming?

Ze zagen dat er naast de deur een videotelefoon hing;

een hoorn met een klein zwart schermpje. Blijkbaar was het de bedoeling dat je bij de gemeenschappelijke voordeur aanbelde. De gebruikers van de kantoren konden zo zien wie er voor de deur stond.

'Koerier,' klonk het dof. 'Ik moet een envelop persoonlijk afleveren. Er moet getekend worden.'

Jay en Lana keken hoe hun vader naar de deur liep en hem op een kiertje opende. Er werd een envelop naar binnen gestoken en een klembord waarop hun vader zijn handtekening zette.

Toen hij de deur weer gesloten had, zorgvuldig alsof hij bang was dat iets of iemand stiekem binnen zou glippen, hing de lucht van rotte eieren in het kantoor.

'Deze komt van Luther,' zei hun vader. 'Dat is te ruiken.'

Hij scheurde de envelop open en schudde. Er gleden een paar vellen papier uit.

Hun vader had niet meer dan één blik nodig. Met een gebaar alsof hij in zijn nek gebeten werd, maakte hij een rare, schokkerige beweging en liet de papieren uit zijn handen vallen. Ze dwarrelden als luie herfstbladeren op de grond. Jay hoefde maar een arm uit te steken om een van de blaadjes te pakken, maar toen hij het deed, siste zijn vader geschrokken en boos dat hij ervan af moest blijven. Hij pakte de papieren op en schoof ze zonder ze te bekijken in een la.

'Je zou vertellen waarom je nooit meer bent teruggekomen,' zei Paul.

'Andere keer. Andere keer,' zei de vader van Jay en

Lana. Hij was opeens gehaast en nerveus alsof hij een vreselijke gebeurtenis verwachtte.

'Er is iets wat ik nu moet regelen. Deze papieren, dat snappen jullie natuurlijk.'

Jay en Lana snapten het niet. Daarnet waren er nog verhalen verteld. Ze wachtten op antwoorden en dachten dat ze die zouden krijgen. Nu was alles veranderd, alsof de film was afgelopen, de lichten aan gingen en je van de ene wereld terug moest stappen in de andere.

Het was heel vreemd hoe hun vader veranderde. Hij was bazig en vastbesloten, nog steeds zenuwachtig, maar tegenspraak zou hij niet dulden en dus sprak niemand hem tegen.

'Goed, we gaan naar huis. Daar is het veiliger dan hier. En, kinderen, mondje dicht tegen mama. Dit blijft voorlopig ons geheim.' Hij deed de deur van het kantoor open en duwde Lana naar buiten. Jay en Paul volgden haar.

Toen, met een blik op de ladekast, zei hij: 'O, ik moet nog even iets controleren.' Hij nam zijn sleutelring uit zijn broekzak. 'Wacht hier maar even.'

Hij deed de deur van het kantoor zorgvuldig dicht, alsof wat hij ging doen diep geheim was.

De linoleum vloer in de gang voor de deur glom, alsof er water was gemorst.

Het flesje, dacht Lana. Papa heeft een cirkel van water gesprenkeld. Waar zou dat nou voor zijn? Ze zag dat Paul even aarzelde, razendsnel rondkeek en toen zo liep dat hij de cirkel passeerde waar het water al was opgedroogd.

Hij durfde niet over het water heen, dacht Lana. Wat is dat nou weer? Waarom durft Paul die watercirkel niet te passeren? Ze knoopte het in haar geheugen: ze moest papa hierover vragen.

Vergeten zou ze het niet meer, want het volgende moment gebeurde er iets wat ze nooit geloofd zou hebben, zelfs niet nu ze het met haar eigen ogen zag.

De hak van Pauls schoen raakte een stukje nog naglimmend linoleum waar het gesprenkelde water bijna was opgedroogd. Bijna, maar nog niet helemaal. De aanraking was genoeg. De wereld veranderde in een plek waar half zichtbare gedaanten dreven, waar vreemde vormen rondkropen en waar geen lijn recht was, waar geen muur rechtop stond. Alles bewoog, boog, kronkelde, alles was vaag, alleen Paul stond rechtovereind, scherp zichtbaar in de mist. Maar Paul veranderde ook. Zijn staartje werd een vreemd soort tentakel, een slang met een venijnige kop en scherpe giftanden. Pauls rug kreeg knobbels, hij barstte uit zijn kleren en ging op in een steekvlam. Het vuur verteerde hem alsof hij een dode tak was. In één woesj was hij verdwenen.

Jay keek op dat moment nog even over zijn schouder naar de deur van het kantoor. Toen hij weer voor zich keek, stond zijn zusje alleen in de gang. Haar mond hing een beetje open en in haar ogen glom verbijstering. Paul was er niet meer. Waar hij daarnet nog gelopen had, was de gang leeg.

'Waar is Paul gebleven?' vroeg Jay.

Lana antwoordde ademloos en toonloos: 'Opgebrand.'

'Opgebrand?'

'Ja,' zei Lana dromerig.

'We gaan weer naar binnen,' zei Jay. Hij moest een paar keer flink bonken voor er vanbinnen een reactie kwam. 'Ja?'

'Pap! Er is iets idioots gebeurd!'

'Wie zijn jullie?'

Jay was net zo verbijsterd als zijn zusje. 'Wij natuurlijk!' De deur ging open. 'Waar is Paul?' was het eerste wat hun vader vroeg.

'Paul is weg,' zei Lana. 'Hij stapte op dat water in de gang en toen was hij opeens verdwenen.'

'Het is echt waar,' zei Jay. 'Ik heb zelf gezien dat hij er niet meer was.'

Hun vader knikte. 'Ik had het kunnen weten. Ik had het móeten weten. Paul hoorde erbij. Hij is een van hen. Kom gauw weer binnen.'

'Waar hoort hij bij?' vroeg Lana toen hun vader de deur zorgvuldig gesloten had.

'Bij de studio,' zei hun vader. 'Paul hoorde ook bij de studio.'

'Ja, hè hè,' zei Lana. 'Hij is de geluidstechnicus.'

Haar vader schudde zijn hoofd. 'Ik denk dat ik jullie alles maar moet vertellen.'

'We moesten toch weg?' zei Jay. 'Je wou toch niet meer vertellen?'

Zijn vader haalde een hand door zijn haar. Op zijn gezicht losten bezorgdheid, verwarring en angst elkaar af.

'Thuis zouden we veilig zijn omdat… omdat ons huis op een bijzondere plek staat. Maar daar kunnen we nu niet heen. Ik weet niet wat er gaat gebeuren. Nee, dat zeg ik verkeerd. Ik weet wat ze willen, maar hoe ze het willen bereiken, is nog de vraag.'

'Wie zijn "ze"? De eigenaren van de studio?' vroeg Lana.

'Ja, en Paul. Die hoort er ook bij.'

'Ik vond hem al niet aardig,' zei Lana.

Haar vader knikte en herhaalde: 'Ik had het kunnen weten. Ik had het moeten weten. Kun je het een beetje beschrijven? Wat zag je?'

Lana vertelde wat er was gebeurd op het moment dat Paul verdween.

'Paimon,' zei haar vader zachtjes.

'Wie? Raymond?' zei Jay.

'Paimon. En niet wie, wát.'

Ze keken hun vader met een nietszeggende blik aan.

'We kunnen niet weg. Dit kantoor is de enige plek waar we beschermd zijn. Paul kon mee naar binnen omdat hij was uitgenodigd. Goddank heeft hij ons niets aangedaan, de bescherming hierbinnen was goed genoeg. Zijn uitnodiging is nu verlopen, hij is hier niet meer welkom. Dat weet hij, en de anderen weten het ook. Dus zitten we hier vast. Zodra we buitenkomen zullen ze iets proberen.'

Jay keek rond. Wie waren "ze" en hoezo waren ze hier beschermd? Hij zag nu pas dat er boven de deur een crucifix hing en dat er in de boekenkasten overal kruisbeeldjes stonden.

'Wat was het dat je net van die koerier kreeg?' vroeg hij aan zijn vader. 'Waarom schrok je zo van die envelop?'

'Het is een contract,' zei hun vader. 'Een heel oud platencontract. En alweer de twee briefjes die ik heb ondertekend in de bank van lening, toen ik de gitaar meekreeg.' Jay keek hem niet-begrijpend aan. 'Maar pap, toen was je pas twaalf. Waarom moet je nu nog steeds iets tekenen? Je hebt die gitaar toch allang niet meer?'

'Nee, en mijn talent om te zingen, te spelen en liedjes te schrijven heb ik ook niet meer.' Hij ging achter zijn bureau zitten.

'Waar is dat talent dan? En hoe kun je nou een talent lenen?' vroeg Lana.

'Het talent heb ik teruggebracht. Net als mijn gitaar. En hoe je een talent kunt lenen? Goeie vraag. Ik denk dat ik het nu weet. De gebroeders Gerber, weten jullie wel? Die...'

'Die hadden een broer!' zei Jay. 'Ze hebben het ons verteld. En iets over zijn talent, dat hij...'

'Hij wilde heel beroemd worden. En dat gebeurde ook. Hij werd heel beroemd in Japan. En daar moest hij natuurlijk heen om te spelen voor zijn fans. Hij overleed toen het vliegtuig bij Japan in zee neerstortte. Zo werd hij beroemd: als de zanger die met één tophitje in Japan een dodelijk ongeluk kreeg. Ach, ik moet jullie alles uitleggen, anders snappen jullie er niets van.'

Hij begon weer te vertellen.

11

De klop op de deur

'Een jongen met een Gibson-gitaar zit op een krat en speelt gitaar. Nog nooit eerder heeft hij zo'n instrument in handen gehad. Hij heeft geen flauw benul van snaren, stemmen, slagjes, tokkels, akkoorden. Hij kan helemaal geen gitaar spelen, maar hij doet het wel.

En wat speelt hij? Muziek die opborrelt in zijn hoofd, die in zijn vingers zit, melodieën die hij zomaar te voorschijn tovert.

Die jongen was ik. De trotse eigenaar van een gitaar. 's Avonds na het eten schreef ik mijn eerste liedje, het liedje over de orgelman.

Ik had mijn gitaar verborgen in het schuurtje want hoe moest ik mijn vader en moeder – opa en oma Duijn – vertellen dat ik zo'n prachtige gitaar te leen had? Ze zouden het nooit geloven.

Het was een beetje een treurig liedje en ik had geen idee hoe ik er op was gekomen. Bij ons in de buurt kwam nooit een draaiorgel. Ik had nog nooit over draaiorgels nagedacht. Toch maakte ik er een liedje over.

Jammer genoeg kon ik op mijn gitaar geen draaiorgel

nadoen. Als ik zo makkelijk een instrument kon bespelen, had ik beter een synthesizer kunnen lenen, dan kon ik nu alle instrumenten nadoen.

Het was heel grappig, vond ik, dat mijn vader de volgende dag vertelde dat onze auto naar de sloop ging. We kregen een nieuwe en hij vroeg of ik mee wilde gaan om hem weg te brengen.

Op de een of andere manier kwam mijn liedje tot leven. Het werd echt, want de man op de sloop was eigenlijk orgelman. Het liefst ging hij nog steeds met zijn orgel door de straten, maar niemand luisterde meer naar draaiorgels. Ja, af en toe op een braderie. En het liep akelig af met die orgelman. Midden in de nacht ging hij naar een loods op het oude industrieterrein, waar zijn orgel stond opgeslagen. Hoe het kon weet ik niet, maar het orgel viel om en hij kwam eronder.

En zulke dingen gebeurden met alle liedjes die ik daarna schreef. Het was alsof de muziek en de woorden een wereld schiepen die er nooit geweest zou zijn als ik die gitaar niet geleend had. Hoe moet ik het uitleggen, het leek of ik een soort vreemde boosaardige schepper was die met zijn liedjes ongeluk rondzaaide. Want het tweede liedje dat ik schreef ging over Ted. Ted, die me over de lommerd had verteld. Ted met zijn pick-up, waar hij dansplaatjes op draaide. Ted kreeg longontsteking omdat hij op de een of andere manier op het kerkhof terechtkwam, precies zoals ik had geschreven. Het derde liedje dat ik schreef was zo idioot, daar kon niets mee gebeuren, dacht ik. Het was een slaapliedje voor een vampier. Nou ja, vampiers bestaan niet, dat weet iedereen. Het was een experimentje…' Hij staarde in de verte, alsof hij in gedachten terugging naar de tijd dat hij twaalf was. 'En ik had het beter niet kunnen doen. Op de Dodenakker werd door nachtwakers 's nachts een jongen gezien. Een jongen van een jaar of achttien. Net zo oud als de omgekomen broer van de Gerbers. Hoe was dat mogelijk? Het vliegtuig waar hij in zat was bij Japan neergestort. Hij was dood! Hoe kon hij op de Dodenakker ronddwalen?'

Jay en Lana haalden hun schouders op.

'Door mijn liedje!' zei hun vader. 'Een liedje over een vampier…'

'Maar hoe kan dat dan allemaal?' vroeg Jay, die het gevoel had dat zijn leven veranderde in een griezelfilm. 'En waarom dan?' vroeg hij.

'Omdat je met talent moet woekeren. Dat was me al verteld in de lommerd. Ik had het koopcontract gelukkig nog niet getekend. Ik denk dat ik anders heel beroemd in Australië zou zijn geworden.'

'En dan waren wij beroemde kinderen geweest!' zei Lana opgewonden.

Haar vader glimlachte, een beetje vermoeid.

'Weet je nog wat ik vertelde over de lommerd? Binnen dertien dagen moest ik de gitaar kopen en het talent om liedjes te kunnen maken. Ik ben nooit teruggegaan en ik heb het koopcontract nooit ondertekend.' Hij wees naar de la waar de envelop in lag. 'Die papieren daar wachten al twintig jaar om ondertekend te worden. Want als ik teken...'

'Pap, ik begrijp er niks meer van,' zei Lana. Dat was niet waar, maar ze wilde niet meer luisteren omdat alles wat haar vader vertelde in haar hoofd voorbijkwam als een film waar ze liever niet naar keek. Ze zag een vliegtuig neerstorten in een zee bij Australië.

'Waarom gaan we niet gewoon naar huis? Waarom...'

'Omdat we niet weg kunnen,' zei haar vader. 'We worden opgewacht. Zal ik verder vertellen?'

'Ja,' zeiden Lana en Jay tegelijk, maar niet omdat ze het leuk vonden wat ze tot dusver gehoord hadden. Ze wilden het begrijpen, dat was het.

'De gebroeders Gerber bleven,' vervolgde hun vader. 'Ze zijn al die tijd gebleven, wachtend op hun jongere broertje.'

'Die broer die dood was en toch 's nachts terugkwam?' zei Jay.

Zijn vader knikte.

'Wat is er dan met die broer gebeurd?' vroeg Jay. 'Waarom zitten Mannes en Graddus nog steeds op die bank te wachten?'

'Wat er terugkwam was niet hun broer. Meer weet ik er niet van.'

Jay zag aan zijn vaders ogen dat hij iets verzweeg.

'Ik heb de studio al die jaren in de gaten gehouden, want ik wist dat er iets zou gebeuren. Toen de buurt waar wij nu wonen werd gebouwd, ging alles tegen de vlakte.

De fabriekjes, de loodsen, de lommerd van Luther, maar niet dat ene steegje waar de studio staat. Waarom niet? Het was niet logisch, het klopte niet.'

'De studio was tegen de achterkant van de lommerd gebouwd,' zei Jay.

Zijn vader knikte. 'De gebroeders Gerber wisten dat ook. Die zaten ook op wacht. Nog steeds, trouwens.'

'Pap,' zei Lana, 'waarom mocht jij een cd maken? Was jij een Idol?'

Haar vader grinnikte. 'Dat zullen we nooit meer weten, liefje, of ik een idool was. Maar het is een goede vraag die je stelt: waarom mocht ik een plaat maken? Geen cd, trouwens, want die was nog niet uitgevonden. Ik was nergens op verdacht, toen het gebeurde.

Mijn gitaar had ik verstopt in het schuurtje en als ik erop wilde spelen, reed ik naar het industriegebied en zocht een lege loods of een afdakje om te spelen. Er waren mensen die geld voor me neergooiden, soms bleven ze heel lang luisteren. Ik kreeg allerlei complimentjes, want ik was goed. En de liedjes die ik schreef waren ook goed, dankzij het talent dat ik bij Luther geleend had.'

'En je zei dat ze akelig waren,' zei Lana.

Haar vader knikte. 'Dat waren ze ook. Ze werden steeds akeliger. De "Rookrap" hebben jullie nog niet gehoord. Dat liedje gaat over een moeder die stopt met roken.'

'Heel goed,' zei Lana.

'Maar het is een akelig liedje geworden,' zei haar vader, 'en ik kon er niets aan doen. Ik wilde iets schrijven over hoe gezond en vrolijk die moeder werd en dat ze lekker ging sporten. Maar wat werd het? Aan het einde van het lied is moeder zo dik geworden van al het snoepen, dat ze als een soort berg van vlees in een stoel zit. En dan zakt ze nog eens door de vloer ook.'

Jay grinnikte. 'Klinkt wel leuk.'

Er werd op de deur geklopt. Ze keken alledrie tegelijk met een ruk achter zich.

'Schoonmaak,' klonk het vanaf de gang.

'Nu al?' Hun vader liep naar de deur en zei: 'John?'

'Ja, meneer.'

'Ik ben nog even bezig. Kun je later terugkomen? Ach, kom morgen maar. Hebben jullie de gang al gedaan?'

'Ga ik nu doen. Hoe lang bent u nog binnen?'

'Laat het schoonmaken voor vandaag maar zitten, John. Morgen is vroeg genoeg.'

Hij ging met zijn rug naar de deur staan en zei: 'De vloer wordt geboend. Dat betekent dat de bescherming weg is. We moeten heel snel zijn, anders…'

Hij maakte zijn zin niet af, schoot naar de ladekast, rukte een la open en pakte er iets uit. Lana wist nu zeker dat het een flesje was, want met iedere beweging van zijn hand, schoten er druppeltjes water alle kanten op. Alsof hij door de duivel op de hielen werd gezeten, sprenkelde hun vader druppeltjes rond. Op de vloer, tegen de deur, tegen de ramen.

Er werd weer op de deur geklopt.

Lana zag dat er iets merkwaardigs gebeurde. Ze kon de

afdruk van de hand die buiten klopte hierbinnen zien, alsof de deur van elastiek was. Ze zag hem meebuigen en zag dat er achter de kloppende vuist aan, iets, of iemand, naar binnen kwam, dwars door de deur heen. Een schemerige gedaante, een gestalte van alleen maar schaduw zweefde opeens in het kantoor. Een magere man, hoog voorhoofd, strak achterovergekamd haar, felle ogen en twee vreemde bobbels boven zijn wenkbrauwen.

Het leek of de man er alleen maar was als ze haar ogen dicht had. Lana knipperde als een gek en zag hem het ene moment wel, het volgende moment weer niet. Ze keek met ongelovige ogen, met een rilling die zich over haar rug uitbreidde totdat het haar in haar nek prikte. Dit was de schaduwgestalte die ze eerder gezien – of liever: niet gezien – hadden. Hij was binnen en dat betekende iets. Lana wist niet wat, maar het was niet goed.

Toen haar vader met een laatste beweging wat druppels omhoog sprenkelde, was de gestalte verdwenen op het moment dat het water hem aanraakte. Ze hoorde een zucht, een verwensing, en de schaduwen die de gedaante vormden, vielen uit elkaar in scherfjes donker dat ook licht had kunnen zijn. Zoals Paul verdwenen was, loste ook de man met het hoge voorhoofd op in het niets, alleen was er nu geen steekvlam.

Zonder het zelf te merken, hapte Lana naar adem. Haar hart pompte haar hele lichaam vol bang bloed.

Haar broer en haar vader hadden niets gezien. Die keken naar de deur alsof ze dachten dat hij open zou gaan.

Dat flesje, dacht Lana, daar zit iets bijzonders in. Papa heeft een flesje in die ladekast om aanvallers weg te jagen. Het moment ging voorbij. De klop op de deur was weggestorven, er gebeurde verder niets.

Lana zag dat haar vader zich ontspande. Hij veegde over zijn voorhoofd, maar die beweging stokte toen ze alledrie de stank van rotte eieren roken.

'Hij was het,' zei haar vader ademloos. 'Hij stond aan de deur. Nog nooit is hij zo dichtbij geweest. Hij is erachter gekomen! Hij weet dat mijn verzameling compleet is sinds ik in Berlijn ben geweest en dat ik alles bekend zal maken. Hij weet dat ik hem bijna kan verslaan. Bijna... Daarom is de studio weer open, daarom probeert hij me nu te laten tekenen. Om te voorkomen dat mijn ontdekking wereldwijd bekend wordt!'

Zweet stond als pareltjes op zijn voorhoofd. De blik in zijn ogen was angstaanjagend.

Pap is gek, dacht Jay, of in elk geval bijna. Waarom wil hij ons niet gewoon vertellen wat er aan de hand is?

12

De waarheid is een verhaaltje

Hun vader had koffie gezet en was weer een beetje bedaard. De kleur op zijn gezicht was terug, zijn ogen stonden minder panisch dan een kwartier eerder.

'Pap,' zei Jay dwingend, 'kun je nou niet gewoon vertellen wat er aan de hand is met die plaat en Paul en de studio en…'

Zijn vader dronk zijn koffiebeker leeg, wierp een blik op de deur en zei: 'Oké, goed. Ik zal het heel simpel vertellen.'

Lana en Jay luisterden terwijl hij vertelde en in Lana's hoofd werd ieder woord een beeld. Geen filmbeeld maar een herinnering, een echte herinnering aan iets wat echt gebeurd was.

'Langgeleden,' begon haar vader, 'was er buiten de stad een plek waar misdadigers werden opgehangen, heksen verbrand of verdronken, waar de moordenaars aan galgen bungelden, waar al het kwaad aan zijn einde kwam. Het was het terrein waar de beul zijn werk deed. Martelen, terechtstellen en begraven. De grond was doordrenkt van het bloed en van het kwaad. Het tierde er als paddestoelen op een dode boom. Een heel goede plek voor duistere wezens. Een prachtplek voor de prinsen van de duisternis om hun duivelse plannetjes te beramen. Plannetjes waar ze alle tijd voor hadden. Ze moesten gewoon wachten op het goede moment.

De stad groeide en er kwam beschaving. Er werden geen heksen meer verbrand, er werden geen misdadigers meer geradbraakt en verhangen. Het terrein van de beul werd bebouwd, er kwamen huizen en bedrijfjes, maar het was allemaal een beetje louche. Werd je de stad uitgeknikkerd, dan ging je hier wonen tussen de oplichters, de rovers, de dieven. De lommerd kwam er bijvoorbeeld. Die wilden ze in de stad niet hebben.

Er gebeurden duistere dingen, zaken die het daglicht niet konden verdragen. Mensen werden niet oud, ze kregen vreemde ziektes, raakten hun zuurverdiende geld kwijt, of waren opeens steenrijk. Alsof de duvel ermee speelde. En dat deed ie waarschijnlijk ook.

Het buitenwijkje van de stad veranderde in een krottenwijk en werd platgegooid. Alles verdween. De dodenakker, waar de veroordeelde misdadigers begraven lagen, werd omgeploegd. Maar hoe diep moet je gaan om de wortels van het kwaad om te ploegen?

Fabrieken en bedrijven moesten er komen. Van het oude bleef alleen de lommerd. Die was er opeens weer, alsof de duvel ermee speelde.'

En dat deed ie waarschijnlijk ook, dacht Jay.

Hij keek naar zijn vader en zijn zusje. Die zaten allebei

helemaal in het verhaal. Hun ogen waren op een veraf punt gericht, ze zaten roerloos terwijl de een luisterde naar wat de ander vertelde.

Als er nu iemand binnenkwam, zouden ze het niet eens merken, dacht hij.

Zijn vader vertelde verder, dromerig en langzaam.

'De wereld begon aan een nieuw hoofdstuk. Stoommachines deden het werk en daarna machines op elektriciteit, de wetenschap deed de ene na de andere ontdekking. De verhalen over de duivel, over moordenaars en heksen werden vergeten. Niemand geloofde er meer in. Sprookjes, verzinsels. Het Heksenwater, de sloot waar ooit waterproeven met heksen werden gehouden, veranderde in een kanaal waar vrachtschepen aanmeerden.

Toch brachten de bedrijven en fabrieken de stad geen voorspoed en geluk. Er vonden rare ongelukken plaats, sommige bedrijven gingen zomaar failliet en er vielen veel gewonden en zelfs doden onder de arbeiders. De gebouwen kwamen leeg te staan, of gaven onderdak aan steeds duisterder bedrijfjes.

Wij, de kinderen, mochten er niet komen. We hadden er niks te zoeken, zeiden onze ouders. Opa en oma Duijn gaven me flink op mijn donder toen ze erachter kwamen dat ik een gitaar bij de lommerd had geleend.

"Geleend?" zeiden ze. "Een gitaar lénen bij de bank van lening? Dat bestaat niet. Je brengt hem maar terug."

"Maar het heet toch de bank van lening?" zei ik. Ik weet nog dat ik dat zei.

Mijn vader was onverbiddelijk. En zo ging ik op een middag mijn gitaar terugbrengen. Een jongen die zo graag iets wilde bereiken, die popartiest wilde worden, tophits wilde schrijven.

Ik ging op een woensdagmiddag met mijn gitaar naar de Lombardensteeg, maar voor ik daar was, werd ik aangesproken door een man met een staartje.

"Mooie gitaar, jongen. Dat is een van de beste Gibsons. Speel jij daarop?"

"Ja meneer," zei ik.

"Laat horen."

"Hier, op straat?"

"Nee, kom maar mee naar mijn studio. Ik ben geluidstechnicus. Ik neem tophits op."

Zo kwam ik in de studio terecht. Ik speelde de liedjes die ik al geschreven had aan Paul voor. Hij was dolenthousiast. Geweldig, vond hij ze. En hij wilde ze opnemen zodra ik er genoeg had.

"Maar ik heb de gitaar geleend uit de lommerd en ik moet hem terugbrengen," biechtte ik eerlijk op. "Ik mag hem van mijn ouders niet houden."

"Dan laat je hem hier staan en vertel je thuis dat je hem hebt teruggebracht," was Pauls simpele oplossing. "Jij bent fantastisch, jongen. Een ster. Jij gaat het maken."

En zo kwam ik terecht bij Paul. Ik liet mijn gitaar er achter en als ik maar éven tijd had, was ik in de studio.'

'Kon dat zomaar?' vroeg Jay. Hij zag de film *Let it be* weer voor zich. Daar konden de Beatles lang aan hun liedjes werken omdat het een wereldberoemde band was. Mocht een jongen van twaalf met een gitaar zomaar wat aanrommelen in een studio? Paul had verteld dat hij liedjes van wereldsterren had opgenomen. Wanneer gebeurde dat dan?

'Dat kon zomaar. Er kwam nooit iemand anders in de studio,' zei zijn vader. 'Ja, dat is raar, dat weet ik nu ook wel. Maar toen was ik pas twaalf. Wist ik veel.'

Hij keek weer dromerig voor zich uit en vertelde verder.

'Ik heb jullie verteld over mijn liedjes. Ze werden steeds minder leuk. Vrolijke deuntjes, daar niet van, maar ze gingen over steeds akeliger dingen. Er was iets mis mee, het deugde niet.'

Lana zag de Vrachtvaart weer voor zich, met die wielsporen die met een scherpe bocht op de kadewand af gingen. De auto moest in volle vaart het water in gereden zijn. En die Ted, haar vaders vriendje, danste op het kerkhof, midden in de ijzig koude nacht tussen de grafstenen tot hij in het waterige licht van de opgaande zon dood tegen een zerk lag. Onderkoeld, doodgevroren.

'Pap,' zei ze, 'kwamen al je liedjes uit? Die moeder die gestopt was met roken, zakte die echt door de vloer?'

Haar vader knikte. 'Ja. Alles kwam uit. Jay, ik was twee jaar ouder dan jij nu bent. Wat had jij gedaan als je alles kon krijgen waar je van droomde?'

Jay haalde zijn schouders op en zei: 'Ik zou aan jou gevraagd hebben of het wel klopte.'

Zijn vader grinnikte kort. 'Tja. Maar ik had niet zulke ouders.'

En hij vertelde verder.

'Ik schrok pas echt van mezelf toen ik een liedje had geschreven dat "Lucifer" heette. Jullie hebben het gehoord: over een kind dat zo ontevreden is dat het de duivel oproept. Hij roept Lucifer, want die moet ervoor zorgen dat al zijn wensen uitkomen. Net als bij al mijn andere liedjes, had ik het in een mum van tijd af. Maar al heel snel daarna begon ik het idee te krijgen dat ik gevolgd werd. Een man die geen man was, maar een combinatie van licht en schaduw, was steeds in de buurt. Ik zag hem overal. Soms onduidelijk, dan weer scherp: een man met een hoog voorhoofd en strak achterovergekamd haar. Er zaten twee vreemde bobbels op dat voorhoofd.'

Lana en Jay keken elkaar even aan. Ze hadden de schaduwgedaante allebei gezien.

Hun vader lette niet op hen, hij vertelde verder. 'Daarna begon ik ook te dromen. Badend in het zweet werd ik wakker, omdat ik droomde wat ik in het liedje had opgeschreven: dat ik naar een oud, verlaten huis ging, waar een altaar stond. En dat huis was de lommerd van Luther. In mijn dromen kwam ik er binnen. De gillende poppen aan de muur waren weg en dat vond ik wel prettig. Het loket was er ook niet meer, zag ik in mijn droom. Er was helemaal niets meer. Lege muren, lege vloer, een heel leeg gebouw, met een altaar waar ooit dat loket was geweest. Ik ging naar dat altaar toe. Er lag een boek op, een oeroud boek met een leren kaft en vergeelde bladzijden. En net als in mijn liedje zei ik spreuken die ik vond in dat boek. Toen werd ik wakker.'

'Gelukkig maar,' zuchtte Lana, die blij was dat de beelden in haar hoofd vervaagden. 'Na een nachtmerrie lig je altijd gewoon weer lekker in bed.'

'Nee…' Haar vaders stem was bijna onhoorbaar. 'Nee, ik stond echt in de lommerd van Luther. In mijn pyjama, op blote voeten. In een lege verlaten ruimte, met een altaar waar een boek op lag. En ik had iets hardop voorgelezen uit dat boek. Ik had iets wakker gemaakt. Opgeroepen. Ik! Ik had dat gedaan met mijn liedje. De melodie was een uitnodiging. Wist ik veel? Hij kwam. Lucifer!'

Jay had opeens het gevoel dat er een enorme afstand tussen hem en zijn vader was. Het was of hij opsteeg en alles van grote hoogte bekeek. Al die tijd had hij tussen de bomen het bos niet meer gezien, maar nu zag hij het bos in zijn geheel. En het was een eng bos.

'Ik dacht dat ik me vergiste, dat mijn verbeelding met me op de loop ging,' zei zijn vader. 'Zelfs het wakker worden in de lege lommerd van Luther had best een droom kunnen zijn, maakte ik mezelf wijs.

Toen was het tijd om het laatste liedje op te nemen. In die tijd pasten er niet meer dan twaalf liedjes op een lp, maar Paul zei dat er nog wel een dertiende op kon, als het kort was. Dertien, zei hij, dertien was een pracht van een nummer, zijn lievelingsgetal. En o ja, er was natuurlijk het platencontract dat ik moest tekenen. De advocaat van

de platenfirma had het daarnet afgeleverd.
Ik heb het contract nooit getekend en dat heeft al deze
narigheid opgeleverd.
Ik begon aan mijn dertiende liedje. Over het refrein
hoefde ik niet eens na te denken, het schreef zichzelf. Lezen deed ik pas toen ik klaar was.

En als je tekent, doe het goed,
teken met je eigen bloed.
En als je tekent, kom je ver,
hand in hand met Lucifer.

Toen wist ik dat ik dat dertiende liedje nooit mocht afmaken, want dan zou ik een contract met de duivel tekenen,
want Lucifer, dat is de duivel. En ik begreep opeens wat
ik getekend had in de lommerd. Een leencontract voor
een gitaar én een talent. Het was niet mijn talent, het was
niet mijn gitaar. Ik moest er vanaf zien te komen. De lommerd had me dertien dagen de tijd gegeven om te ondertekenen. Die dertiende dag was morgen. Morgen moest
ik terug met mijn gitaar en hem inleveren. Niet tekenen.
Beslist niet tekenen.'
  'Tekenen met je eigen bloed, dat moet als je je ziel aan
de duivel verkoopt in ruil voor rijkdom of roem,' zei Jay.
'Dat heb ik vaak genoeg gezien op tv.'
  Zijn vader knikte. 'Tja, maar er waren geen films op tv
toen ik jong was. Ik wist van niets.'
  Lana raakte het spoor een beetje bijster. Ze liet haar

blik door het kantoor glijden. Op de grote recorder lag nog steeds een band.

Ze stond op, liep naar de machine en legde haar hand op de startknop.

'Paul heeft de band laten liggen,' zei ze. 'Staan er nog liedjes op die we niet gehoord hebben?'

Zonder de reactie van haar vader af te wachten, liet ze de band lopen. Haar vader sprong met een gesmoorde kreet op. Hij was te laat, de muziek begon al.

'Als de kerkklok middernacht slaat,' zong Lana's vader, op de band, 'sluip ik door de stad met mijn spullen in een tas, naar waar een oud verlaten huis staat. In het walmende gele kaarslicht maak ik een pentagram…'

Haar vader duwde haar onzachtzinnig opzij en zette de band stil.

Het is wel een lekkere deun, dacht Jay, maar dat zei hij natuurlijk niet. Hij begreep dat er nog iets moest gebeuren voordat ze naar huis konden, voordat ze veilig waren. Maar wat? Zijn vader had nog steeds niet verteld waarom alles wat vroeger gebeurd was, zich uitgerekend nu leek te herhalen.

'Hij is die band niet vergeten,' zei zijn vader tegen Lana. 'Paul heeft hem bewust achtergelaten. En nu hebben we Lucifer alwéér geroepen.'

De stilte die viel toen de muziek stopte, leek tussen hen in te hangen als een onzichtbare geluidswerende wand.

'Ik heb jullie bijna alles verteld. Een van de laatste zinnen van het liedje "Lucifer" is: "Maar ik weet nu dat iets mij toch achterna kwam."'

Jay, die voelde wat er ging komen, zei: 'En dat was ook zo?'

Zijn vader knikte. 'Een gedaante, een gestalte die er niet was, een speling van licht en schaduw…'

Hun vader leunde tegen de ladekast. 'Ik ging de gitaar terugbrengen naar de lommerd. Net als in mijn droom die misschien geen droom was, stond het pand leeg. Een altaar was er gelukkig niet.

Het was gewoon een galmende, lege ruimte met een dak dat lekte; er lagen hier en daar plassen op de betonnen vloer. Op de wanden was nog te zien waar de planken hadden gehangen, vierkante en rechthoekige strepen vuil lieten zien waar ooit kasten en vitrines stonden. Kleine getuigen van wat er ooit in het gebouw was geweest, maar allang was verdwenen. Nog geen twee weken geleden was ik hier binnen gelopen. Nu zag het gebouw eruit alsof alles al jaren geleden was leeggeruimd. Ik rook vocht en schimmel en heel vaag de lucht van rotte eieren. Ik rilde.

Het wandje met het loket was er nog. Ik zette mijn gitaar ertegenaan.'

'Had je die dan uit de studio gehaald?' vroeg Lana. 'Daar bewaarde je hem toch?'

'Nee, mop, ik had hem mee naar het schuurtje genomen om mijn dertiende liedje te schrijven.'

'Aha,' zei Lana.

'Ik zette mijn geleende gitaar tegen het wandje met het loket. Ergens viel een regendruppel op de grond met een holle plons. Wat moest ik nu? Er was hier niemand die de gitaar kon terugnemen, niemand die op het leencontract kon aantekenen "gitaar teruggebracht", of zoiets.

Daarom schreeuwde ik: "Ik wil hem niet! Ik hoef die gitaar niet. En het talent kom ik ook terugbrengen. En laat me verder met rust, engerds!"'

Lana, die alweer helemaal voor zich zag hoe haar vader daar stond, een jongetje in een grote lege ruimte, merkte opeens een steelse beweging op. Achter het loket bewoog iets. Licht duwde een schaduw opzij, misschien was het een schaduw die het licht verschoof, maar ze zág iets. Een gedaante van een slanke man met een hoog voorhoofd en strak achterovergekamd haar die een stapeltje papieren in zijn hand had.

Papa's contracten, dacht ze. Toen was het moment voorbij, het beeld verdween.

Haar vaders stem klonk ver weg en langzaam maar zeker verscheen midden in het kantoor de gestalte van schaduw en licht, de gedaante die ze al vaker gezien had, die daarnet nog dwars door de deur had willen lopen, maar die nu zomaar binnen stond.

Het water! dacht Lana. Het water dat papa gesprenkeld heeft, is opgedroogd. Het water was de bescherming, maar die is verdwenen.

De figuur die alleen uit licht en donker bestond, keek rond in het kantoor, ontdekte haar vader en richtte zijn blik. Vreemde, brandende ogen had hij, waarmee hij dwars door haar vader heen keek. Lana zag dat de gedaante naar de ladekast staarde. Het leek of het hout van de kast begon te smeulen. Dunne rookwolkjes stegen op. Zien ze dat dan ook niet? dacht ze.

Nee, haar vader vertelde ongestoord verder. 'Ik schreeuwde het nog een keer. Toen hoorde ik, alsof het een antwoord was, ergens gedempt mijn Lucifer-liedje. Het leek door de muren te dringen en toen ik mijn oren spitste om te horen waar het vandaan kwam, zag ik in de verste muur een deur. Ik liep erheen. Het was onmiskenbaar: de muziek, mijn muziek – nou ja de muziek die ik met mijn geleende talent gemaakt had – kwam door deze deur.'

'Ja,' zei Jay. 'De lommerd en de studio zijn tegen elkaar aangebouwd. Het is hetzelfde gebouw!'

Zijn vader knikte. 'Hetzelfde gebouw, precies. Ik snapte het ook. Het was een duivelse valstrik. De studio was er alleen maar om te zorgen dat ik mijn liedjes zou gaan schrijven en opnemen.'

'En zo heb je heel wat duivelse dingen laten gebeuren,' zei Jay.

'Ja,' zuchtte zijn vader. 'Woekeren met je talenten, had de man achter het loket gezegd. Tegen wie ik schreeuwde in dat lege gebouw, wist ik niet, maar ik werd wel gehoord.

Toen ik naar buiten liep, voelde ik mijn vingers verstijven. Het leek of er cement doorheen stroomde, in plaats van bloed. Thuis, toen ik mijn moeder vertelde dat ik zo'n pijn had, bleek mijn stem veranderd in een soort gerasp. Nou ja, jullie weten niet beter dan dat ik zo klink.'

Hij masseerde zijn vingers en zei peinzend: 'Het was mijn straf, dat wist ik meteen. Je kon niet zomaar ongestraft iets terugbrengen naar de lommerd. Mij maakte het niet uit, ik was van de lening af en van mijn gitaar. Ik had niets ondertekend, mij hadden ze niet in hun macht.'

Jay keek hem vragend aan en zijn vader antwoordde op de onuitgesproken vraag. 'Ik vergiste me. Ik was niet van hen af. Ze bleven me bestoken. Niet met brieven of telefoontjes, maar met dromen. Vreemde nachtmerries die doorgingen tot ik een jaar of achttien werd. Op de één of andere manier kreeg ik ook steeds boeken in handen die over ongetekende contracten gingen en over verbroken beloften. En nu, na zo veel jaar, proberen ze mij via jullie te pakken te krijgen want in Berlijn heb ik iets gevonden wat...'

'Pap,' zei Lana. 'Er is hier net iemand binnengekomen. Je kunt hem niet echt zien, maar hij ís er wel. En ik geloof dat hij probeert je kast in de fik te steken.'

13

Wijwater

Lana had haar vader nog nooit zo snel zien handelen als nu. Hij stond bij de ladekast voor ze was uitgesproken, had het flesje in zijn hand en begon te sprenkelen. Alsof hij confetti strooide, ging zijn hand op en neer en heen en weer. De druppels vingen het licht van de ondergaande zon en leken dan te verdwijnen.

Lana zag hoe de schaduwen door het water in flarden werden gescheurd. De gedaante leek ineen te krimpen en uiteen te vallen. Hij werd dunner, dikker, veranderde in draden, viel uiteen in druppels en was weg.

Lana wist dat haar broer niet zag wat er gebeurde. Haar vader zag het zelf misschien ook niet. Hij vocht tegen een vijand die hem al jaren op de hielen zat en die hij misschien nooit recht in het gezicht had kunnen kijken.

Ik ben de enige die alles ziet, dacht Lana. Ben ik nou ook de enige die echt iets kan doen?

De lucht van rotte eieren vulde het kantoor. Jay en Lana knepen hun neus dicht, hun vader drukte een zakdoek tegen zijn gezicht.

Hij strooide nog eens druppels rond.

'Wat doe je nou steeds?' vroeg Jay.

'Wijwater,' zei zijn vader, gedempt door de zakdoek heen. 'Het is een van de weinige wapens.'

'Wijwater?'

'Ja, uit de kerk. In katholieke kerken hangen bakjes gezegend water. Je kunt je vingers erin dopen, of er een flesje mee vullen.'

'Wat heb je daar nou aan?' vroeg Jay.

'Hoe hou je een vampier van je af?' vroeg zijn vader.

'Met knoflook,' zei Jay. 'En je doodt hem met een scherp geslepen stuk hout. Maar dat is in verhalen!'

'Precies. Alleen in verhalen kun je iets te weten komen over het soort vijand waar ik tegen vecht. Mijn hele leven lang ben ik al op zoek naar verhalen over Luther, over Paul en al hun soortgenoten.'

'Dat is handig, want het is ook je werk,' zei Lana.

Haar vader grijnsde zuinig. 'Weet je, het is precies andersom. Ik ben bij het Instituut voor Volksverhalen en Muziek gaan werken omdat ik zo makkelijker kon vinden wat ik zocht.'

'Nou, dat heeft dan niet veel geholpen, want verslagen zijn ze niet. Ze zitten nog steeds achter je aan,' zei Jay somber.

'Ze zitten sinds Berlijn achter me aan omdat ik ze bijna verslagen heb,' zei zijn vader. Hij grijnsde grimmig. 'Toen ik van school af was, wilde ik weg. Verhuizen, vertrekken, van alles af zijn. Maar ik kon niet. Ik heb een poosje in Utrecht gewoond. Daar ben ik mama tegengekomen. Maar ik kon niet in Utrecht blijven. Iets trok me terug naar hier. Ze lieten me niet gaan en nog steeds niet. Daarom wonen wij op het oude industriegebied waar ooit het kwaad heer en meester was. Niet omdat ik het zo graag wil, maar omdat ik niet weg kan. Ze hebben me altijd vastgehouden en ze proberen me nu nog één keer te laten tekenen voordat het te laat is.'

'Het Lichtmispad,' zei Jay. 'We wonen waar vroeger een kerk stond.'

'Heel goed, knap dat je dat weet,' zei zijn vader. 'We wonen daar niet zomaar. Het is gewijde grond, dat houdt types als Paimon en Bluth op een afstand. Zelfs Lucifer heeft me er nog niet lastiggevallen, terwijl hij toch de sterkste van allemaal is.'

'Is Bluth ook…?' vroeg Jay.

'Bluth is zijn advocaat. De advocaat van de duivel.'

'Maar pap,' zei Lana, 'waarom zitten ze dan achter je aan sinds je in Berlijn bent geweest?'

'Ik heb sinds Berlijn alle aanwijzingen en bewijzen in handen. Nog nooit is het iemand gelukt een bewijs te vinden voor het bestaan van… van – Weet je, een tijdje geleden heeft een Engelse onderzoeker uitgerekend dat het voor tweeënzestig procent zeker is dat God bestaat. Computers hebben jarenlang berekeningen uitgevoerd en kwamen toen met die uitslag: tweeënzestig procent. Dat zou betekenen dat het ook voor tweeënzestig procent zeker is dat de duivel bestaat. Wit kan alleen bestaan als er zwart is. Een berg bestaat alleen als er ook een dal is, zoals er zonder dag geen nacht is. Mijn bewijzen gaan verder. Het is geen tweeënzestig procent, maar honderd procent! En als ik aan de wereld kan bewijzen dat ze er écht zijn, altijd al geweest en niet van plan ooit weg te gaan, dan kunnen we de strijd tegen het kwaad echt beginnen en kunnen we ze echt verslaan.'

Verslaan, het klonk heldhaftig en hoopvol, maar Lana hoorde angst en onzekerheid in haar vaders stem.

Raar, dacht ze. Thuis hebben we het nooit over God of de kerk. Ik wist niet eens dat papa gelovig is en nou blijkt hij voor zijn werk bewijzen te zoeken dat God bestaat.

'Hé pap,' zei ze, 'moeten we niet naar huis? Het is allang etenstijd.'

'Je hebt gelijk,' zei haar vader. 'Ik denk dat Bluth en Paimon ons niet meer lastig zullen vallen. Hier, nemen jullie voor de zekerheid hier wat van.'

Hij druppelde wat van het flesje wijwater op hun handen. 'Dep het maar op je voorhoofd. Jullie zijn nu behoorlijk beschermd. Oké, dan gaan we. En mondje dicht thuis. We moeten mama maar niet ongerust maken.'

'En jij dan?' wilde Lana vragen, maar ze nam aan dat haar vader wel wist wat hij deed. Ze liepen het kantoor uit. Er gebeurde niets. Geen aanval uit onverwachte hoek, geen plotselinge vlam die veranderde in Paul. Ook de gedaante van licht en schaduw was er niet.

In het kantoorgebouw hoorde je niets meer, iedereen was blijkbaar al naar huis. Lana keek naar de glimmende vloer die daarnet was schoongemaakt. Hier en daar zag je nog strepen vocht van de boenmachine.

Het wijwater is weggeboend, dacht ze. Tuurlijk. Daarom kon die enge vent met dat haar binnenkomen.

Haar vader draaide de deur van het kantoor op slot. Met de sleutelbos nog in zijn hand nam hij een stap.

Alsof de duvel ermee speelde – en dat deed hij waarschijnlijk, bedacht Lana later – kwam hij op een nog vochtig glimmend stukje terecht. Met een verbaasde kreet, met een rare slinger van zijn armen en een houterige maar toch heel soepele beweging van zijn been, ging hij onderuit. Dit was geen vallen, het was neerstorten; zo ongelukkig onderuitgaan als maar mogelijk was.

Lana en Jay konden botten horen kraken toen hun vader neerkwam. De sleutelbos vloog door de lucht en kwam tegen een plantenbak aan.

Roerloos, met zijn benen in een onmogelijke hoek onder zich, lag hun vader in de gang.

Had ik maar gezegd dat hij ook wijwater moest gebruiken, dacht Lana met tranen in haar ogen. Had ik het maar gezegd.

De verpleger en zijn assistent rolden de brancard naar buiten, waar de ambulance wachtte.

Onwillekeurig moest Lana aan het verhaal van de orgelman denken. Nu was het haar vader die, bewusteloos en met twee gebroken benen, naar het ziekenhuis werd gebracht.

Jay had met zijn vaders mobieltje eerst zijn moeder en

daarna het alarmnummer gebeld. De ambulance was er als eerste. Hun moeder moest een auto lenen, of een taxi bestellen. Ze mochten niet mee naar het ziekenhuis. Ze moesten op hun moeder wachten, zei de ambulance-chauffeur.

Toen de ziekenwagen met zwaailicht maar zonder sirene was weggereden, zei Jay: 'Gelukkig is hij bewusteloos. Volgens mij voel je dan ook geen pijn. Dit was niet zomaar een ongeluk.'

Lana knikte instemmend.

'Wat moeten we nou doen?' vroeg Jay. 'Ik wou dat papa verteld had wat zijn ontdekking was.'

'We moeten in die ladekast zijn,' zei Lana. 'Dáár zit dat, eh… wapen waar papa het over had.'

'Het kantoor is dicht,' zei Jay somber. 'Zou mama een reservesleutel hebben?'

Triomfantelijk haalde Lana de sleutelbos te voorschijn, die ze van de grond had opgeraapt. 'Laten we even gauw kijken voordat mama er is.'

Alsof ze verboden terrein betraden, gingen ze het kantoor weer binnen.

Jay sloot de deur zorgvuldig. Hij liep onmiddellijk naar het bureau van zijn vader en trok de la open waar de enveloppen in verdwenen waren.

Lana ging voor de ladekast staan en bekeek de laatjes nog eens goed. A-Z, las ze op de etiketten, DIVERS, KLEUR, INGEKLEURD, ZWART-WIT.

Ze trok de la DIVERS open. Voorzichtig tilde ze een van

de fotoalbums van de stapel en sloeg het open. Er zaten ansichtkaarten in. Ouderwetse kaarten, keurig op hun plaats gehouden door kartonnen fotohoekjes.

Er waren kaarten met bloemstukken, foto's van dames in wijde jurken en heren die een roos aan hun geliefde overhandigden. U blijft in mijn hart, stond er op een van de kaarten, op een andere was met sierlijke gouden letters Proficiat met Uw verjaardag geschreven.

Langzaam sloeg Lana de pagina's om. De kaarten moesten erg oud zijn; er waren foto's van straten waar een of twee antieke auto's reden en er was een reeks van dames in belachelijke, ouderwetse badpakken.

Toen ze alle kaarten had bekeken, sloeg Lana het album met een zucht dicht.

Een van de laden in de middelste kast had een blanco etiket. Toen ze hem probeerde open te trekken, merkte ze dat hij op slot zat.

Jay was inmiddels in het bureau aan het rommelen. De envelop die zijn vader in de la had gestopt alsof hij ieder moment in een slang kon veranderen, bevatte drie papieren. Twee kleintjes: de kwitanties voor het lenen van een Gibson en een talent, en een grote: het koopcontract. Jay liet zijn ogen over de tekst gaan. Grotemensentaal, onbegrijpelijk. 'Ondertekenaar verklaart hierbij af te staan aan tussenpersoon Luther...' Dat soort zinnen. Zijn blik gleed naar de onderkant van het papier. Hij las zijn vaders naam. Er stonden stippeltjes onder. Blijkbaar moest hij hier het koopcontract ondertekenen. Ernaast stond een andere naam, die hij nog niet eerder gehoord had. De verkoper heette geen Luther, maar Zwaluw. Wie kon dat nou weer zijn?

Hij kreeg geen kans erover na te denken, want de dunne digitale toon van een mobieltje ging door het kantoor. Ze schrokken er allebei van.

Jay graaide naar het toestel.

Het was hun moeder, die vanuit een taxi belde. Ze had besloten rechtstreeks naar het ziekenhuis te gaan. 'Er komt dadelijk iemand van het ivvm naar het kantoor. Hij heeft wat papieren van papa nodig. Ik haal jullie op de weg naar huis op.'

'Naar huis?' zei Jay. 'We willen ook naar het ziekenhuis.'

Hij hoorde aan de toon van zijn moeders antwoord dat ze niet in de stemming was voor onderhandelingen. Jay hing op zonder verder aan te dringen.

'Er komt straks iemand,' zei hij. 'Een baas van papa, voor papieren.' Hij bekeek de berg papieren die het bureaublad bedekte 'Ik hoop dat hij weet wat hij zoekt,' zei hij tegen zijn zusje.

'Hé, Lana, heb jij wel eens van Zwaluw gehoord?'

'Dat zijn vogels,' zei Lana. 'En lucifers.'

Jay knikte. Hij had dat zelf ook al bedacht. Hij wilde nog iets zeggen, maar zijn zusje stond roerloos bij de ladekast, alsof haar aandacht opeens getrokken werd door iets wat hij niet zag of hoorde. Lana's ogen waren bijna spiegels, ze leek opnieuw te kijken naar iets wat Jay niet kon zien.

De naam Zwaluw had iets bij Lana losgemaakt. Ze was opeens in een wereld waar lijnen bol waren, als zachte kussens. Ze keek in een verte waar niets stilstond, waar licht ronddraaide als in een heel langzame disco. Uit al die kleuren en beweging kwam een gedaante opdoemen. Lana voelde dat het de licht- en schaduwman was die ze al zo vaak eerder had gezien. De man op het podium in het enorme lege theater uit haar droom. Ze voelde ook dat ze hem straks helemaal zou zien. Niet als een droomverschijning, maar echt.

Er ging een zoemer en naast de deur begon het beeldschermpje van de videotelefoon te flakkeren. Lana schrok op uit haar gedachten.

Er stond een lange, magere man op de stoep bij de gemeenschappelijke voordeur.

Hij droeg een zwarte jas en een grijze hoed. In zijn linkerhand bungelden twee handschoenen.

De doodgraver, dacht Lana. Iemand komt ons waarschuwen dat papa dood is!

De man nam zijn hoed af en keek recht in de camera, zijn ogen boorden zich in die van Lana. Zijn gezicht was oud en jong tegelijk: er zat geen rimpel op, toch straalde het de ernst en wijsheid uit die alleen heel oude mensen bezitten. Zijn glanzende, zwarte haar was strak achterovergekamd, zodat het leek of hij een enorm voorhoofd had. En met dat voorhoofd was iets mis. Lana wist niet wat, ze kreeg de kans niet om goed te kijken, want de man wendde zich af.

'Wat is er Lana? Is dat die man van papa's werk?'

'Ik weet het niet,' zei ze, terwijl ze een rilling onderdrukte. Er was iets aan de man wat haar de kriebels over haar rug bezorgde.

De zoemer ging opnieuw. 'Nou, pak die telefoon dan!'

Jay stond op, liep naar de deur, pakte de hoorn en zei: 'Ja?'

'Goedemiddag, ik kom voor de foto's van meneer Duijn.'

'Bent u van papa's werk?'

'Ja,'

'Hij liegt,' fluisterde Lana.

'Ik kom een map halen, zoals afgesproken.'

'We mogen niemand binnenlaten. Mijn vader ligt in het ziekenhuis,' zei Jay.

'Het is afgesproken,' zei de man nogmaals.

'Dan moet u wachten tot mijn moeder er is.'

Jay hing de telefoon weer op de haak en klikte het beeldscherm uit.

'Zo goed?'

'Hartstikke,' zei Lana.

'Maar waarom liegt hij? Mama heeft toch gezegd…'

'Hij liegt ook tegen mama. Kom op, we moeten die kast doorzoeken.'

Lana wees naar de ladekast. 'Daar zit papa's ontdekking in.'

'Hoe weet je dat?'

'Een gevoel,' zei Lana.

'Oké, dan gaan we zoeken.'

'Er zit één laatje op slot, dat met het lege kartonnetje,' zei Lana.

Jay knielde voor de kast en bekeek het laatje dat zijn zus had aangewezen. Hij rukte eraan.

'Dat is raar, het heeft niet eens een slot. Hoe kan het dan dicht zijn?'

Hij keek nog eens goed, tikte tegen het kartonnetje en grijnsde breed. 'Ha! Kijk.'

Hij schoof het kartonnetje omhoog uit het houdertje. Een klein, roestig sleutelgat kwam te voorschijn.

'Goed,' zei Lana. 'Moeten we de la openbreken?'

Jay schudde zijn hoofd. 'Dan hebben we een schroevendraaier of een koevoet nodig.'

'Wat denk je ervan als we een sleutel gebruikten?'

Lana knielde naast haar broer. 'Volgens mij is dat slot heel lang niet gebruikt. Het is verroest.

'Dat maakt het zoeken een stuk makkelijker. We hebben een verroeste sleutel nodig,' zei Jay.

Hij pakte de sleutelbos van zijn vader en liet de sleutels langs zijn vingers glijden. 'Deze?'

De baard en de helft van de steel waren verroest, de rest glom alsof het iedere dag gepoetst werd – of vastgehouden, dacht Jay. Wat raar, zou papa er op spugen voordat hij het gebruikt of zo? Dan kun je toch beter een druppeltje olie in het slot laten lopen?

De zoemer ging weer.

'Niet op letten,' zei Lana. 'Maak nou open!'

Jay stak het sleuteltje in het slot, dat soepel liep. Hij

trok de la open. Er lag een fotoalbum in, precies zoals Lana al vermoed had.

'Waarom ansichtkaarten?' zei Jay verbaasd. 'Die verzamelt papa toch helemaal niet?'

'Er is iets mee,' zei Lana. 'Dit is geen verzameling, dit is het wapen.'

'Wapen?'

'Het bewijs waar papa over vertelde.'

'Nou, laten we maar even kijken dan,' zei Jay.

Ze liepen naar het bureau, legden het album neer en sloegen het open.

De eerste kaart, gekreukeld en vergeeld, toonde een man in buitenissige kleding.

Hij droeg een wijde zwarte cape, waar twee magere, spierwitte handen uit staken. Aan iedere vinger schitterden ringen met zwarte stenen. Zijn gezicht was prachtig geschminkt; puntig en glad, met zeegroene strepen en zo gemeen, dat het leek of hij op het punt stond van de kaart te stappen en Lana aan te vliegen.

Lana deinsde achteruit, want het leek wel of de man haar gretig opnam. Ze sloeg haar ogen neer en zag dat er iets onderaan de bladzijde stond.

BEËLZEBUB had haar vader met dun potloodschrift geschreven, PARIJS 1866.

Lana nam de punt van het blad en sloeg het om. Op de volgende kaart was opnieuw iemand uit een nachtmerrie afgebeeld. Ze bladerde snel verder, maar zag niets anders dan kaarten met figuren uit griezelfilms. Halverwege het album begreep ze dat haar vader een verzameling duivels had aangelegd.

Op iedere kaart was een ander soort duivel afgebeeld. Er waren kaarten met keurige heren die niet in de verzameling thuis leken te horen, maar als je goed keek, zag je bokkenpoten bij de een, vreemde klauwen bij de ander en een slang in plaats van een tong bij de volgende. Bij iedere kaart was een aantekening gemaakt. SATANIACA BEIROET 1886, THEUTUS, BERLIJN 1896, LUCIFER AMSTERDAM 1906.

Wat hadden die plaatsnamen en jaartallen te betekenen?

'Snap jij hier iets van?' vroeg ze Jay.

'Nee.' Jay bladerde terug naar de eerste kaart. Die was gedateerd op 1866, bijna anderhalve eeuw geleden. De laatste kaart in het album kwam uit 1966.

Er zat precies honderd jaar tussen de eerste ansichtkaart en de laatste en ze waren allemaal op jaar gerangschikt.

Onwillekeurig dacht Lana aan haar Robbie Williamsfoto's, waar ze keurig bij schreef uit welk blad ze kwamen en bij welke hits ze hoorden. Waarom had haar vader de ansichtkaarten in dit album gedateerd? Niet omdat hij een fan van duivels en demonen was. Misschien wel juist daarom. Het wapen, dacht ze. Deze kaarten zijn het wapen.

De wereld begon wolkachtig en vaag te worden, net als haar gedachten. Stel je voor dat duivelaanbidders naar ieder optreden van de duivel gingen en elke keer een souvenir meenamen. Lana had een T-shirt van het Robbie Williams-concert, haar vader had ansichtkaarten van optredens in enorme lege theaters, waar een meisje van tien helemaal alleen ver weg op het balkon zat. Ze schudde zichzelf wakker. Onzin. De duivel trad niet op!

Ze sloeg het album dicht, maar ze had het gevoel alsof de Beëlzebub uit Parijs 1866 haar dwars door de kaft bleef aankijken.

'Moeten we niet verder kijken?' zei Jay.

Het mobieltje ging weer over.

Jay nam op. 'Nee, u moet echt op mijn moeder wachten,' zei hij. 'We mogen niemand binnenlaten. Ook geen collega's van mijn vader die we niet kennen en van wie we nog nooit gehoord hebben.'

'Nee… ja… dag meneer.'

'Beetje vervelende man. Zei dat hij van papa wél toestemming had om binnen te komen en dat het ook kwaadschiks kon,' zei hij tegen Lana.

Lana liep naar de ladekast, trok het laatje open waar haar vader twee keer iets had uitgepakt en zag een verzameling kleine flessen, medicijnflesjes met kurkjes. Ze pakte een van de flesjes, ontkurkte het en sprenkelde druppels voor de drempel. Voor de zekerheid zwaaide ze het flesje nog met een grote armbeweging rond. Waterdruppels vlogen alle kanten uit.

De deur leek geluidloos te zuchten en even dacht Lana de indruk van een schouder te zien verdwijnen.

'Volgens mij kunnen we beter weggaan,' zei ze tegen Jay.

'Hoe dan? Wil je lopend naar huis? We kunnen beter op mama wachten.'

Ze wachtten. Er werd niet meer gebeld. Toch had Lana het gevoel dat de man met het voorhoofd in de buurt was. Vlakbij, misschien wel pal achter de deur van haar vaders kantoor, klaar om toe te slaan, om... Om papa's wapen in handen te krijgen, dacht ze. Voor de zekerheid propte ze een paar flesjes in haar broekzak.

Het album schoof ze in een linnen schoudertas van een museum in Berlijn.

In een ingeving haalde ze het album weer uit de tas en bladerde het door. Haar vader was in vrijwel alle plaatsen geweest die op de ansichtkaarten stonden. Maar Berlijn zat er niet bij. Waarom niet?

Toen zag ze dat er een bobbel zat in de binnenkant van de achterkaft. Ze plukte eraan. Het papier liet los en twee foto's vielen op tafel, met de achterkant naar boven. Er kwamen een paar uitgeknipte krantenartikeltjes mee. Lana bekeek de foto's als eerste. BERLIJN, las ze, STAATS-OPERA.

Op de andere foto stond niets. Ze draaide hem om en de adem stokte in haar keel. Ze keek naar haar gefotografeerde droom. Op een enorm podium stond een man, een toneelspeler, waarschijnlijk zanger. Hij stond op een podium, bevroren in een weids, dramatisch gebaar.

Maar in tegenstelling tot haar droom was de zaal nu

niet leeg. Ze zag honderden achterhoofden boven stoelleuningen uitsteken. Het podium was ook niet leeg. Op de achtergrond zag ze een orkest en ergens links stond een groepje mensen op een rij. Dit was een muziekuitvoering. Een musical, of een opera. Ondanks de verschillen, wist ze het zeker: dit was haar droom.

Ze draaide de andere foto om. De man op het podium was nu met een telelens gefotografeerd. Hij stond een stuk dichterbij. De zaal en de mensen aan de zijkant van het podium zag je niet meer, alleen nog een paar muzikanten op de achtergrond. De man op het podium stond alweer in zo'n toneelspelershouding, maar dat viel nu minder op, omdat ze zijn gezicht kon zien.

Nee, dacht ze. Iedereen mag gek worden maar ík niet.

Ze deed de twee foto's terug in hun geheime vakje en stopte het album weer in de tas.

Op dat moment ging het mobieltje weer.

'Oké mam, we komen!' riep Jay opgelucht.

Voor de zekerheid besprenkelde Lana haar broer en zichzelf voordat ze naar buiten liepen.

In de schaduwen bij de voordeur leek een gedaante op te lossen.

14

Zwaluw

De windvlaag die Lana op de hoek van het kantoorgebouw tegenhield kwam zo onverwachts, dat ze struikelend een paar stappen achteruit moest doen.

'Het album!' gierde de wind. 'Dat album is voor mij!' Direct daarna was het weer windstil.

'Wat heb jij?' vroeg Jay verbaasd toen Lana verwilderd haar evenwicht probeerde terug te vinden.

'Ik weet het niet,' stamelde Lana. 'Ik, eh... liep na te denken. Ik verstapte me.' Zwijgend liepen ze door.

Ik liep écht te dromen, dacht ze, het heeft helemaal niet gewaaid.

Hun moeder zat in een taxi die bij de voordeur was geparkeerd. Met een zucht van verlichting stapten ze in en reden naar huis.

Onderweg vertelde hun moeder in korte, nerveuze zinnen dat hun vader in coma lag, dat zijn benen in het gips zaten en dat niemand wist wanneer hij wakker zou worden.

Jay en Lana vertelden hoe hun vader door een stom ongeluk was gevallen, uitgegleden over een natte vloer.

Over wat hen verder overkomen was, hielden ze hun mond, al brandde het verhaal op hun lippen.

En wat ging er nu gebeuren? Ze hadden wijwater, ze zouden niemand hun kamertjes binnen laten, dus ze waren redelijk veilig. Maar voor hoe lang? Allebei verwachtten ze ieder moment een vreselijke gebeurtenis, maar ze kwamen veilig thuis.

In de huiskamer bleven ze bedrukt naast elkaar zitten, tot hun moeder zich bedacht dat het al lang voorbij etenstijd was.

Zonder iets te proeven aten ze pannenkoeken uit de magnetron en soep uit een pakje. Niemand kreeg meer dan een paar happen weg. Daarna werden ze naar bed gestuurd.

Zodra hij zijn kamer binnen kwam werd Jay overvallen door een enorme vermoeidheid. Het was alsof iemand hem een verdovend middel had gegeven. Hij sliep al voor hij goed en wel lag.

Lana kon niet in slaap komen. Het was alsof iets haar wakker hield. Ze lag in bed en staarde naar het plafond, dacht aan het fotoalbum dat op haar bureautje lag en kneep in het flesje dat ze uit veiligheidsoverwegingen in haar hand hield. Ze had er wat van over zich heen gedruppeld.

De krantenartikelen had ze nog niet gelezen, bedacht ze zich. Ze stapte uit bed, pakte ze uit de tas en begon te lezen.

Publiek betoverd door opera
Een wonderlijke gebeurtenis bij de uitvoering van de
Faustus-opera in het concertgebouw vanavond... Mensen
leken als betoverd de zaal te verlaten na de uitvoering...

Lana's ogen gleden over het stukje dat ouderwets en moeilijk te begrijpen was. Maar wat ze ervan begreep was genoeg: in Amsterdam, in 1906 had een operazanger een vreemde invloed op het publiek gehad. Het was beslist geen gewone voorstelling geweest en het publiek had het concertgebouw nog niet verlaten, of er gebeurden ongelukken. Ze liepen onder de tram of kwamen voor een auto terwijl er in die tijd nog zowat geen auto's reden.

Een ander stukje was van tien jaar eerder, uit 1896. De journalist meldde dat een uitvoering van een opera akelig was geëindigd toen het publiek zomaar het water in sprong.

Er zat tien jaar tussen de twee krantenstukjes. En zat er ook niet...? Ze trok het album uit de tas en keek naar de foto's. Ja, daar zat steeds keurig tien jaar tussen. Eens in de tien jaar verscheen de zanger van de ansichtkaarten in een theater om te zingen. En elke keer als hij dat deed, vielen er doden... Opeens heel moe zakte Lana in haar bed en staarde naar het plafond.

Ze kon zich niet herinneren hoe lang ze zo lag, maar heel traag drong het tot haar door dat er iets in haar kamer veranderd was. Iets donkers gleed naar binnen, zwol op tot een zwart gat en nam de vorm van een mens aan.

'Dag pap,' zei Lana slaperig, terwijl ze haar ogen opende. Het was natuurlijk haar vader niet, het was de man die ze kende van de videotelefoon in haar vaders kantoor, de man die tevergeefs had geprobeerd het album mee te nemen. Hij stond nu in haar kamer.

Met zijn leeftijdloze gezicht en de twee vreemde bobbels op zijn voorhoofd, keek hij met een dunne, ijskoude glimlach op haar neer. Zijn zwarte mantel hing open, zijn hoed en handschoenen bungelden in zijn rechterhand.

Lana schoot overeind. 'Mam!'

De man maakte een gebaar en Lana's stem bleef in haar keel steken.

'Ga weg,' fluisterde ze. Het klonk alsof ze meters van zichzelf afstond. De man schudde glimlachend zijn hoofd. 'Nee,' zei hij zonder zijn lippen te bewegen, 'dat zal niet gaan. Er is een afspraak gemaakt.'

Uit de binnenzak van zijn jas haalde hij een stuk papier, dat hij met een korte beweging openvouwde.

Lana kon niet lezen wat erop stond, maar bovenaan zag ze het woord 'overeenkomst' en onderaan de naam van haar vader.

'Mijn naam is Zwaluw,' zei de man 'en wie via Luthers lommerd een lening bij mij aangaat, moet zijn woord nakomen.' Hij glimlachte ijzig.

'Wie, wie bent u...?' fluisterde Lana. 'Bent u de man van de lommerd?'

Zwaluw schudde zijn hoofd. 'Nee, dat is Luther, een

van mijn medewerkers. Ik ben degene die geroepen werd. Geroepen met het lied, geroepen met woorden. Wie mij zoekt zal mij vinden. Ik ben een liefhebber van muziek. Ik ben zelf vaak te zien in de opera.'

'Wie bent u dan?'

'Ach...' Zwaluw schudde zijn hoofd. 'Ik ben niet meer zo bekend als vroeger. De mensen zijn me gelukkig vergeten. Ik ben, die ze noemen...'

'Lana, riep je me?' De deur ging open en Lana's moeder kwam binnen.

'Wat is er met jou?'

'Ik heb gedroomd,' zei Lana met een verbaasde blik op de plek waar Zwaluw zojuist gestaan had. Nu was er alleen nog een schaduw die snel plaats maakte voor het licht dat vanuit de gang naar binnen scheen. Lana zag Zwaluw erin oplossen.

'Schatje, je ziet eruit of je een nachtmerrie hebt gehad.'

'Ja, zoiets,' zei Lana langzaam.

Toen ging de voordeurbel. Haar moeder liep de kamer uit. Lana stond op van het bed en liep naar het raam.

Zwaluw stond op de stoep, zijn linkerhand aan het knopje van de bel. Hij keek omhoog, naar haar raam en glimlachte ijskoud en wetend.

Geschrokken deed Lana een paar stappen achteruit. Wat gebeurde er allemaal? De drang om naar de tas uit Berlijn te lopen en het album te pakken was zo groot, dat ze hem niet kon weerstaan. Met het gevoel of ze haar vingers brandde, sloeg ze het open en keek naar de kaart met het onderschrift LUCIFER, AMSTERDAM 1906.

De blik waarmee de duivel op de kaart haar aanstaarde, was dezelfde waarmee Zwaluw haar daarnet bekeken had. En al kon ze hem niet goed zien, zijn gezicht bleef verborgen achter een onzichtbare schaduw, opeens wist Lana wie daar op de stoep stond.

Het was Lucifer uit Amsterdam 1906 die haar vanaf de ansichtkaart en nu ook bij de voordeur intens wreed aankeek.

Zwaluw was de zanger die in het jaar 1906 de rol van Lucifer had vertolkt. Bijna honderd jaar geleden was dat. Geen wonder dat het publiek hem vergeten was na een eeuw... Zwaluw moest ver over de honderd zijn. Maar wat was het belang van één ansichtkaart? Er moesten er nog steeds tientallen van in omloop zijn.

Ze sloeg een bladzijde terug naar de kaart van Theutus, gemaakt in Berlijn in 1896.

En nu zag ze pas wat ze onbewust steeds al gezien moest hebben. De duivel Theutus had Zwaluws gezicht. Haastig bladerde ze door het album tot ze zeker wist dat ze zich niet vergiste: het was Zwaluw die op iedere kaart als een andere duivel stond afgebeeld. En op de laatste twee foto's, die uit Berlijn, stond Zwaluw alwéér. Er was geen twijfel: de man die ze op de videotelefoon in hun vaders kantoor hadden gezien, de man die nu beneden stond, hij was een en dezelfde.

Onbeheerst trillend sloeg ze het album dicht, liep naar de deur en opende hem op een kier.

'Wat zegt u?' hoorde Lana haar moeder zeggen. 'Hebben ze u het album niet gegeven? Heeft Lana het hier mee naartoe genomen? Meent u dat nou?'

Zwaluw zei iets wat Lana niet verstond.

Ze luisterde niet meer. Binnen een paar tellen had ze haar kleren aan, terwijl ze steeds weer dacht: stomme sukkel, stomme sukkel!

Het album was het wapen. Het was de enige verdediging die haar vader had. En had ze het naar haar vader gebracht? Nee, haar vader lag onbeschermd en machteloos in het ziekenhuis, terwijl Zwaluw op het punt stond de foto's in te pikken.

Nu kon ze weg. Ze griste de Berlijn-tas onder het bureau vandaan en stopte het album en de flesjes wijwater erin. Op haar tenen schoot ze Jays kamer in, naar de balkondeur, naar buiten, de reling over en langs de regenpijp omlaag. Belofte of niet, er was geen andere mogelijkheid.

Ze hoorde de verbaasde kreet van haar broer niet eens. Snel als de wind ging ze door de achtertuin, via het achterommetje richting Gedempte Vrachtvaart, waar de bushalte was.

De bus kwam maar niet. Minuten gingen voorbij alsof het uren waren toen ze hem eindelijk in de verte zag opdoemen.

Ze had natuurlijk geen strippenkaart maar de buschauffeur was een vriendelijke man die het zielig vond om een meisje te weigeren dat op weg was naar haar vader in het ziekenhuis. Zelfs toen haar grotere broer buiten adem de bus in sprong, had hij nog medelijden.

De bus was vrijwel verlaten. Achterin zat een man verborgen achter zijn krant, een bejaard echtpaar stapte bij de volgende halte uit.

Lana en Jay letten op niemand, hoewel Lana de neiging had de hele tijd rond te kijken of Zwaluw hen niet achtervolgde.

'Het album,' zei ze. 'Het album is het wapen. Ik weet alleen niet waarom.' Ze vertelde wat ze ontdekt had en liet Jay de foto's uit Berlijn zien. 'Zie je? Ik heb van deze zanger gedroomd. En hij lijkt als twee druppels water op alle mensen die op de ansichtenkaarten staan. Snap je het?'

Jay schudde traag zijn hoofd. Hij was nog niet helemaal over zijn snelle actie heen. Wakker geschrokken van zijn zus, had hij zich razendsnel aangekleed en was hard hollend achter haar aangegaan.

Lana stak hem een flesje toe. 'Opdrinken,' zei ze. Ze trok een kurk van een tweede flesje en dronk het leeg. Jay volgde haar voorbeeld, al wist hij niet waarom.

'Oké. Volgens mij zijn het foto's van een opera,' zei hij, met nog een blik op de foto's uit Berlijn. 'Er is dus een operazanger die steeds de rol van duivels in opera's speelt. Nou en? Hoe kan dat dan een wapen zijn?'

'Dat doet die operazanger al bijna honderdvijftig jaar!' zei Lana. 'Dat kan niet! En ik weet zeker dat Zwaluw, die nu bij mama is, die operazanger is!'

'En dát kan dus niet,' zei Jay.

'Wat ook niet kan,' zei een stem naast hen, 'is dat ik hier ben.'

Ze keken op alsof ze gestoken werden. Naast hen, kalm op hen neerkijkend stond Zwaluw.

Sprakeloos, met opengesperde ogen, staarde Lana hem aan.

'En mijn album heb je meegebracht, precies zoals de bedoeling was.' Hij wierp een blik op de tas en Lana voelde hoe een kracht die niet uit haarzelf kwam, haar dwong het fotoalbum te pakken, maar ze wist de kracht te weerstaan. Zwaluw grijnsde koel en het leek of er een vlammetje langs de randen van zijn spierwitte tanden liep.

'Wat heb je gedaan, meisje?'

Lana keek op naar meneer Zwaluw, die nu niet meer achter een schaduw verscholen ging. Ze zag hem haarscherp en ze keek door hem heen.

Zwaluws blik leek een gewicht op haar te leggen waar ze bijna onder bezweek.

'Dat flesje. Je hebt dat verdomde flesje leeggedronken,' siste hij. 'Ik had jullie beter in de gaten moeten houden. Geef me het album.'

Een klein gebiedend gebaar van zijn hand dwong Lana bijna het album te geven. Bijna, want Jay graaide in de tas, had een flesje te pakken en ontkurkte het razendsnel. Het water liep al over het album voordat Zwaluw zag wat er gebeurde.

Een zenuwtrek schoot over zijn gezicht en hij leek even zijn vorm te verliezen.

De bus kwam met een schok tot stilstand. Lana wierp een blik opzij en gaf haar broer een ruk. Alsof ze watervlugge salamanders waren, schoten ze de bus uit.

Het ziekenhuis lag voor hen. Uit alle ramen scheen warm veilig licht.

'Rennen!' riep Lana.

Ze renden, maar kwamen niet ver. Voor de draaideur van het ziekenhuis stond Zwaluw.

Met een handgebaar smeet hij hen opzij. Alsof ze aan een onzichtbaar koord zaten, struikelden ze achter hem aan naar een donkere hoek naast de ingang.

'Geef me het album,' zei Zwaluw kalm.

'Als u mijn vader met rust laat,' zei Lana. Haar stem beefde, maar was vastberaden.

'Jullie vader heeft leenovereenkomsten getekend,' zei Zwaluw. 'Hij is zijn afspraken niet nagekomen. Binnen dertien dagen tekenen voor de gitaar en het talent. Dat was de afspraak. Ik heb hem alles gegeven wat hij wilde. Zelfs een opnamestudio. Ik had een plaat willen maken van zijn liedjes. Een en al ondankbaarheid. Geef me nu het album.'

'Als u hem met rust laat,' herhaalde Lana.

'En dat willen we zwart op wit,' zei Jay.

Lana pakte het laatste flesje. Ze wist niet waarom, het gaf haar houvast en het beetje moed dat ze nodig had.

'Jullie vader heeft plannen met de ansichtkaarten. Heel kwalijke plannen. Ik heb hem ervan proberen af te brengen, maar hij wilde niet luisteren. Tja, toen moest ik natuurlijk ingrijpen. Moet ik bij jullie ook ingrijpen? Ik mag graag zingen, want ik zing een hele zaal vol zielen zó naar me toe. Het is uitermate vervelend dat jullie vader dat heeft ontdekt.'

Lana werd ijskoud. Haar hand om het flesje begon pijn te doen, maar ze kon het niet loslaten.

Zwaluws ogen gleden even opzij en op datzelfde moment voelde Lana de verstijving verdwijnen. Ze handelde direct, impulsief, haalde haar hand uit de tas en gooide het flesje naar het hoofd van Zwaluw.

Toen het hem raakte schoot het kurkje uit de hals en stroomde het water over zijn gezicht.

Het effect was afgrijselijk. Zwaluw brulde alsof hij zich aan het water brandde. Het vlees op zijn gezicht zwol op, zijn haar veranderde in een groene, ontstoken massa en de twee bobbels op zijn voorhoofd begonnen te groeien. Ze groeiden uit tot puntige, omhooggebogen hoorns. Zijn voeten veranderden in paardenhoeven.

Voor hun ogen werd hij groter en groter, tot hij boven hen uit torende.

'Ik teken niets!' bulderde hij. 'Maar jullie vader zal ik met rust laten. Voorlopig. Mij gaat het om de foto's! De ziel van jullie vader krijg ik nog wel!'

Een gierende windvlaag wierp Lana tegen de grond. De tas werd uit haar hand gerukt en omhoog gezogen. Het album viel eruit, de bladzijden werden uit de band gescheurd en met de wind meegevoerd.

Met hun handen tegen hun oren lagen Lana en Jay op

de grond. Ze gilden allebei, maar konden zichzelf niet boven het geluid van de wind uit horen.

'Wij komen elkaar nog wel tegen! Ik krijg jullie nog wel,' bulderde de wind. 'Zo makkelijk ben ik niet te verslaan.'

Als een onzichtbare vogel met enorme vleugels schoot de windvlaag de straat uit. Het werd stil.

Lana krabbelde overeind, voorzichtig, alsof ze nog moest leren lopen. Om hen heen lagen overal stukken papier, blanco karton met ribbelrandjes. De afbeeldingen van de duivel als operazanger waren verdwenen.

15

Digitaal

Natuurlijk was het allang geen bezoekuur meer, maar de twee verwaaide kinderen die bij de avondportier stonden alsof ze een storm hadden getrotseerd om hun vader te kunnen bezoeken, mochten doorlopen.

De kamer van hun vader was op de derde verdieping. Nog diep onder de indruk en verward van wat ze allemaal hadden meegemaakt, kostte het hun even om de goede kamer te vinden.

Er stond een verpleegster bij het bed in de kleine kamer. Met opgewonden gebaren en een stem die bedoeld was om te kalmeren, zei ze: 'Nee meneer Duijn, u hoeft zich om niemand zorgen te maken. U bent een paar uur buiten bewustzijn geweest. Er is in die tijd niets vreselijks gebeurd.'

'Papa!' Lana en Jay stormden op het bed af. 'Je bent weer wakker!'

Ze keken naar zijn gipsbenen die aan een stelsel van katrollen hingen. 'Heb je pijn? Doet het zeer? Moet je lang blijven liggen?'

'Ik geloof dat ik u maar even met rust laat,' zei de verpleegster met een brede glimlach. Ze vertrok.

Het was een vreemd weerzien. Hun vader was weg geweest en weer teruggekomen, maar dit keer waren er geen stoeipartijen of cadeautjes.

'We hebben het album geruild,' zei Lana.

'Het album! Dat kun je niet menen, dat album was het wapen, dat was mijn enige bescherming tegen…'

'Tegen Zwaluw,' zei Lana. 'Ja, en met hem hebben we het geruild. Tegen, eh… Jay, kun jij het uitleggen?'

De verpleegster kwam binnen. 'Meneer Duijn? Mag ik u even storen, ik ben meteen weer weg. Dit werd net voor u afgeleverd.'

Ze gaf hem een bruine envelop en verliet de kamer. Hun vader scheurde hem open en schudde de inhoud op zijn schoot. Twee kleine papiertjes en een groter vel, beschreven met een kriebelig schrift. Ze herkenden ze alledrie onmiddellijk: de kwitanties en het koopcontract. En terwijl ze keken vervaagden de letters, razendsnel, tot er alleen nog blanco papier over was.

Jay en Lana keken elkaar aan en grijnsden triomfantelijk.

'Hij zal je voortaan met rust laten, pap,' zei Lana. 'Hij wilde niks tekenen, maar dat hoeft nu ook niet meer.'

Haar vader keek sprakeloos naar de stukjes papier.

'Hoe hebben jullie dat voor elkaar gekregen?'

'Wijwater drinken,' zei Lana.

Haar vader grinnikte bewonderend. 'Dat ik daar zelf nooit op gekomen ben.'

'Maar pap,' zei Lana. 'Waarom wilde Zwaluw die foto's zo graag hebben en hoe kan hij honderdvijftig jaar lang

operazanger zijn geweest? En wat was nou je wapen?'
'Die ansichtkaarten natuurlijk,' zei haar vader. 'Die waren het bewijs.'

Hij zuchtte en zijn gezicht verkrampte even. Zijn gebroken benen deden pijn.

'Weet je wat het is met het kwaad? Dat wil zich zo graag laten zien. Het goede, daar hoor je weinig over. God bemoeit zich nooit ergens mee. De duivel wel. Die wil de hele wereld laten zien dat hij er is. Zwaluw is anderhalve eeuw in theaters te zien geweest. Vermomd, natuurlijk, dat wel. Hoe kan een duivel zich het beste vermommen? Als duivel. Want dan gelooft niemand dat hij het echt is. En zo zong Zwaluw in alle grote opera's. Vooral de opera's waar een bepaald stukje muziek in zat. Zijn eigen stukje muziek. Het was de muziek die het publiek zó in verwarring bracht dat ze onder de tram kwamen, of het water in liepen en verdronken. Zwaluw genoot van die optredens.

Hij had met mijn elpee een bedoeling die verderging dan een dode orgelman, of een kind dat verdrinkt in het Vrachtkanaal. Hij wilde dat ík zijn stukje muziek opnam. Als de plaat een tophit was geworden, zouden er wereldwijd vreselijke dingen zijn gebeurd. Dat was dat dertiende liedje dat ik van Paul zo nodig moest opnemen.'

'Maar,' vroeg Jay, 'waarom neemt die Zwaluw dan niet zélf een plaat op?'

'Tja. Het is toch veel duivelser als je er een schooljongetje mee in het ongeluk kunt storten?'

'Wist je dat toen allemaal al, zo lang geleden?' vroeg Lana.

Haar vader schudde zijn hoofd. 'Nee, toen was het gevoel. Later, toen ik bij het IVVM ging werken, ontdekte ik hoe het in elkaar stak. Er zit veel wijsheid in oude volksverhalen. Ik ontdekte dat Zwaluw optrad en dat hij van al die optredens foto's liet maken. Ik begon ze te verzamelen. Stel je voor wat er gebeurd zou zijn als ik mijn bewijs op tv en in de kranten had kunnen laten zien.'

Jay probeerde het zich voor te stellen, maar hij wist niks te bedenken.

'Dan zouden de mensen geloofd hebben dat de duivel bestaat!' zei hun vader. 'Ze zouden met z'n allen weer gelovig zijn geworden. De kerken zouden volstromen, mensen zouden weer geloven en bidden en… nou ja, misschien zou het bewijs dat God bestaat ook wel oplopen tot honderd procent en zou er voor Zwaluw geen plek meer zijn. Zwaluw heeft nooit kunnen bedenken dat iemand al die ansichtkaarten zou verzamelen en de verhalen die erbij horen. Ik had hem kunnen verslaan met zijn eigen ijdelheid!'

'Nu hoeft dat niet meer, pap,' zei Lana. 'Hij heeft je papieren teruggegeven. Er staat niets meer op.'

Haar vader zuchtte. 'Ja. Jullie zijn geweldig. Ik ben weer vrij.'

Hij maakte vuisten, wapperde met zijn vingers en zei: 'Ze doen geen pijn meer!'

'En je bent ook niet meer zo schor, pa,' zei Jay. 'Je zou zelfs kunnen zingen, als je dat wilde.

De studio was er niet meer toen ze een week later met hun vader in een rolstoel de steeg in liepen. Van het grijze gebouw was niet meer over dan gebroken betonnen vloerplaten en wat losse brokken steen.

Van de band met de laatste liedjes die de jongen en zijn gitaar hadden opgenomen was ook niets meer over. Dat hadden ze al eerder ontdekt. Zoals Paul, of Paimon, zoals hun vader hem genoemd had al voorspeld had, was de band tot een bergje poeder uit elkaar gevallen. Natuurlijk stonden er op de md-recorder geen kopieën. Er was niets meer over van de liedjes die hun vader ooit had gemaakt met het van de duivel geleende talent.

Letterlijk alle sporen waren gewist, niets herinnerde nog aan de duivelse dagen die ze hadden doorgemaakt. Alles was weg. Alsof het nooit gebeurd was.

Alleen de gebroeders Gerber zaten nog steeds op hun bankje op de Dodenakker.

Op zondagochtend liepen Lana en Jay naar het plantsoentje. Graddus en Mannes zaten op de bank, allebei op een uiteinde, met een plekje voor hun broer Herman tussen hen in.

Jay had samen met zijn zus geoefend wat ze moesten zeggen. Omdat hij de oudste was, voerde hij het woord.

'De liedjes van mijn vader zijn weg,' zei Jay. 'De band waar ze op staan is helemaal uit elkaar gevallen. Het was mijn vaders schuld dat uw broer terugkwam. Hij had er een liedje over geschreven en Zwaluw zorgde ervoor dat die liedjes uitkwamen.'

'Zwaluw? Luther, bedoel je,' zei Mannes.

'Misschien waren die twee wel dezelfde,' zei Jay. 'Maar het talent van uw broer is weer teruggegeven. Het liedje over de vampier is weg. Het is helemaal poeder geworden. U hoeft niet meer op Herman te wachten. Hij is nu echt...' Jay wist niet wat hij moest zeggen; echt dood, of echt verdronken.

De gebroeders Gerber hadden zijn uitleg niet nodig. Ze knikten naar Jay en Lana, ze knikten elkaar toe en stonden toen op.

'Het was het talent van uw broer, hè?' zei Jay. 'Het was Hermans talent dat mijn vader in de lommerd te leen kreeg.'

'Herman was een vampier toen hij terugkwam,' zeiden de gebroeders. 'We hebben gedaan wat we doen moesten.'

Mannes keek Graddus aan. 'Graddus?'

Zijn broer pakte uit de binnenzak van zijn jas een stuk hout dat aan één kant een scherpe punt had.

'We wisten wat we moesten doen als hij terugkwam. Maar wat zou er met de jongen en zijn gitaar gebeuren? Zou hij ook een vampier worden? We hebben al die tijd op dat moment gewacht. We hebben gewaakt. Nu weten we zeker dat jullie vader veilig is en niet als ondode over de aarde zal dwalen. Nu kunnen wij ook weg.'

Hij liet de staak vallen. De twee broers liepen zonder een woord van afscheid de Dodenakker af.

'Vampierjagers?' zei Jay. 'Kun je je voorstellen, die hebben hun eigen broer een staak door zijn hart gestoken! En dat zouden ze bij papa ook gedaan hebben!'

Was het de zon die opeens door de wolken brak? Vergisten ze zich gewoon, of zagen ze echt dat de twee oude mannen aan de rand van het grasveld veranderden in stofwolkjes? Ze werden grijs, toen korrelig en vielen daarna uit elkaar. Ze verdwenen alsof ze er nooit geweest waren.

'Ze waren al heel oud, hoor,' zei Lana. Het was een soort verklaring.

Jay zat achter zijn computer en worstelde zich door het Soundmaster-programma dat hij van zijn vader had gekregen, vlak voordat alles duivels was geworden.

De band met zijn vaders liedjes mocht dan gewist zijn, op de een of andere manier had hij alle deuntjes in zijn hoofd. Het muziekprogramma leek misschien ingewikkeld, maar als je wist hoe het werkte, liep het als een trein. Het liedje van de orgelman had hij al in zijn computer zitten. Met draaiorgelgeluid. Geen moeilijk gedoe met synthesizers, gewoon wat vakjes aanvinken.

Heel tevreden was Jay bezig om zijn vader het cadeau van zijn leven te geven. Tegen de tijd dat zijn vader weer kon lopen, had hij de tien liedjes die hij in de studio en het kantoor gehoord had op zijn computer staan. Nog even op een cd'tje branden en *Zuidklauw*, zijn vaders plaat, zou er alsnog zijn.

Vreemd genoeg had Jay zelf ook melodietjes in zijn

hoofd. Hij had steeds de neiging om een melodietje te schrijven dat het dertiende nummer op de cd kon worden. En elke keer als hij eraan wilde beginnen, zag hij een beeld voor zich van een afgrond vol vlammen. Rookkegels stegen op, het vuur likte aan zijn voeten en een verre stem riep: 'Maak dat liedje nou! Ik wil dat je dat liedje opneemt. Roep me en ik kom.'

Het was heel verleidelijk.

Zuidklauw

Muziek: Rick Duijn/Bies van Ede

Tekst: Bies van Ede

Rick Duijn: drums, bas, gitaren, toetsen, koorzang
Bies van Ede: zang
Willem Meijer: gitaar op 'Slaapliedje'

De liedjes op *Zuidklauw* zijn opgenomen in de Alkmaarse studio van Rick Duijn die alles arrangeerde, produceerde en mixte.

Bij live-optredens worden de liedjes van *Zuidklauw* uitgevoerd door BV de Band die bestaat uit:

Gijs van der Aar, drums en zang
Eric Coolen, gitaar en zang
Bies van Ede, gitaar en zang
Jan-Paul van der Meij, accordeon, piano en zang
Neil Russell, basgitaar en zang
André Wullems, elektrische gitaar en zang
Paul Bruin, drums